CEIDWAD Y MYNYDD

Ceidwad y Mynydd

Aled Taylor

gyda
Tudur Huws Jones

Argraffiad cyntaf: 2019
(h) testun: Aled Taylor a Tudur Huws Jones 2019

Rhif Llyfr Safonol Rhyngwladol:
978-1-84527-699-7

CYNGOR LLYFRAU CYMRU

Cyhoeddwyd gyda chymorth Cyngor Llyfrau Cymru

Cynllun y clawr: Eleri Owen

Cyhoeddwyd gan Wasg Carreg Gwalch,
12 Iard yr Orsaf, Llanrwst, Dyffryn Conwy, Cymru LL26 0EH.
Ffôn: 01492 642031
e-bost: llyfrau@carreg-gwalch.cymru
lle ar y we: www.carreg-gwalch.cymru

Argraffwyd a chyhoeddwyd yng Nghymru

Diolchiadau / Llyfryddiaeth

Enwau Eryri, Iwan Arfon Jones (Y Lolfa, 1998)
Copaon Cymru (Gwasg Carreg Gwalch, 2016)
A Perilous Playground, Bob Maslen-Jones (Bridge Books, 1998)
Countdown to Rescue, Bob Maslen-Jones (The Ernest Press 1993)
Y *Daily Post*
Caernarfon & Denbigh Herald (Arwyn Roberts)
Sam Roberts
Cledwyn Jones
Tracey Evans a Sian Roberts (partner a chwaer John Ellis
   Roberts)
Gruff Owen
Aelodau Tîm Achub Mynydd Llanberis
Rob Shepherd, swyddog ystadegau cymdeithas Achub Mynydd
   Cymru a Lloegr

Er cof am fy chwaer,
Mair

Cyflwyniad

Dim ond ar achlysuron ffurfiol a gan athrawon yn yr ysgol y byddai Aled yn cael ei enw bedydd; weddill yr amser roedd o, ac mae o o hyd, yn ateb i'w enw anwes; Cochyn, neu Còch, a lliw ei wallt yn naturiol oedd yn gyfrifol am hynny.

Fe'n magwyd ni yn yr un pentre, ac o ran oed fe ges i'r blaen arno o ychydig fisoedd. O edrych yn ôl mae dau beth yn dod i'r cof, yn gyntaf ei hoffter pan oedd yn fachgen o gicio pêl, ac yn ail ei hoffter o ddŵr, ac o nofio!

Pan oedd yn fachgen roedd nam bychan ar ei gerddediad, ond wnaeth hynny ddim i'w atal rhag chwarae pêl-droed. Roedd o'n llawer mwy brwdfrydig na'r mwyafrif ohonom: chwarae ar y ffordd, yng nghae'r ysgol ac yn Gerddi Bach (tir wast ger canol pentre Waunfawr), eithriad oedd i ni gael cae go iawn i gicio arno. Yn aml y fo fyddai'n mynd i'r gôl – doedd dim pyst, cofiwch, dim ond dwy garreg neu ddwy gôt ar lawr.

Yn y Waun yn nyddiau fy ieuenctid roedd nofio yn yr afon yn hynod boblogaidd ac ymhell cyn troad y rhod byddem yn ysu i gael mynd i 'drochi, gan anelu yn nechrau'r tymor am y merddwr cyn mynd yn ddiweddarach am Bont y Cob a'r pwll dwfn oedd islaw'r sgerbwd pont a adeiladwyd i ddod â llechi o rai o chwareli'r llethrau at y trên bach a redai ar lawr y dyffryn. Yn y dŵr roedd Aled fel pysgodyn, ond yr hyn a gofiaf yn fwy na dim yn rhialtwch dyfrllyd y dyddiau hirfelyn hynny ydi fel y byddem bron yn gorfod ei dynnu o'r dŵr ar ddiwedd y cyfnod. Doedd wahaniaeth pa mor oer y dŵr, y fo fyddai'r olaf allan.

Roedd 'na ryw ddycnwch a dyfalbarhad yn perthyn iddo, ac felly y bu erioed. Fe dreuliai nifer ohonom Sadyrnau lawer yn ein harddegau hwyr yn cerdded a chrwydro Nant y Betws a saethu ambell gwningen a hwyaden. Efallai nad oedd o mo'r cyflymaf ar y llethrau nac ar fynydd, ond doedd 'na ddim pall ar ei nerth: mynd a mynd, a dal i fynd. Ar adegau o chwilio am rywun ar goll roedd hynny yn cyfrif am lawer, ac wedyn yn y blinder fe fyddai 'na wên a thynnu coes.

Dilyn ei dad i argraffdy'r Goleuad a wnaeth ar ôl gadael yr ysgol a chael crefft, y diwethaf fyddech chi'n ei ddychmygu fyddai'n argraffu papur newydd enwadol. Ond o fynd yno fe ddysgodd ei waith ac yno y byddai wedi aros, mae'n debyg, oni bai i'r chwilen fynydda afael ynddo – yn rhannol trwy ein cyfeillgarwch ni. Wedyn doedd dim troi'n ôl, a maes o law daeth yn un o wardeniaid Parc Cenedlaethol Eryri.

Yn y swydd bryd hynny roedd digon o gyfle i fynd allan, ac ar yr Wyddfa y treuliodd weddill ei yrfa a daeth i adnabod y mynydd fel un o'i gyndeidiau. Roedd wrth ei fodd yn yr awyr agored, yn barod ei gymwynas a'i gyngor a gyda'r cynta i droi allan i chwilio am neu gynorthwyo rhywrai mewn trafferth. Cyn iddo ddod i wneud hynny o ddifrif byddwn yn tynnu ei goes ei fod yn sefyllian ym Mhen-y-pàs yn disgwyl i rywun syrthio. Y fo ac eraill o'r tîm wardeniaid oedd yr achubwyr prysuraf ar ynys Prydain, mae'n debyg, ar un adeg. Fydda fo ddim yn brin o roi pryd o dafod i ambell un anghyfrifol a diystyriol, ond byddai'n dewis ei le a'i amser i wneud hynny! Maes o law daeth i gynrychioli achubwyr y gogledd ar y corff Prydeinig oedd yn gyfrifol am achub ar y mynydd. Gwnaeth filoedd o gymwynasau a chafodd bleser digymysg ar y llechweddau. Hir y bydded i hynny barhau!

Dei Tomos

Rhagair

Mae Eryri ymysg y llefydd harddaf yng Nghymru, a dwi wedi cael oriau maith o bleser yn cerdded neu'n dringo ei huchelfannau. Mae'r tawelwch yn falm i'r enaid (yn y rhan fwyaf o lefydd, ond nid ar gopa'r Wyddfa ar Ŵyl y Banc braf, efallai!). Ond fel ninnau, mae'r mynyddoedd yn gallu bod yn anwadal, ac os nad ydach chi'n dangos dyledus barch tuag atynt, maen nhw'n gallu troi arnoch chi'n sydyn iawn, a dyna pryd mae pethau'n gallu mynd o chwith. Yn aml iawn, ar adegau felly, diffyg paratoi sy'n gyfrifol, a'r tywydd ydi'r bwgan mwyaf. Mae o bron iawn fel byd arall i fyny fanna, a dydi pawb ddim yn sylweddoli hynny. Mae'r tywydd yn gallu newid mewn chwinciad, a dyna sy'n gyfrifol am nifer fawr o'r damweiniau sy'n digwydd, sef bod pobol ddim wedi paratoi ar gyfer y gwaethaf. Fydd y sawl sydd erioed wedi bod yn uwch na Phen Twtil ddim wedi profi'r fath dywydd o'r blaen, ond gallaf eich sicrhau fod y gwaethaf fedr yr elfennau ei luchio atoch yn llawer gwaeth nag y basach chi'n ei ddychmygu.

Mi achosodd golygydd y cylchgrawn *The Great Outdoors* dipyn o gynnwrf un tro pan ddywedodd fod yr Wyddfa yn fwy peryglus nag Everest. Dipyn o ddweud! Ond be oedd ganddo dan sylw oedd bod pobol yn mynd i fyny'r Wyddfa fel 'tasan nhw'n mynd am dro bach hamddenol yn y wlad, ac felly ddim yn paratoi ar gyfer y gwaethaf, fel y basan nhw, wrth gwrs, petaen nhw'n dringo Everest.

Serch hynny, mae 'na rai amgylchiadau sy'n gyfan gwbl tu hwnt i'n rheolaeth, a phan mae'r rheiny'n penderfynu dod at ei gilydd, fedr neb wneud dim am y peth. Mae 'na elfen o risg mewn mynydda, boed hynny'n ddringo clogwyni neu gerdded mynyddoedd, a dyna sy'n rhoi gwefr i rai. Mi fedran ni leihau'r risg ond fedran ni byth ei ddileu yn llwyr. Damwain ydi damwain, ffwl stop, waeth pa mor drylwyr ydi'r paratoadau. Gallaf gadarnhau hynny, achos dwi wedi cael dwy ddamwain ddifrifol fy hun, lle bu ond y dim i mi gael fy lladd. Nid diffyg paratoi oedd yn gyfrifol ar yr un o'r ddau achlysur, a dyna pam dwi'n dweud bod y mynyddoedd yn gallu bod yn anwadal ar brydiau hefyd. Ond, y rhan fwyaf o'r amser, maen nhw'n gwbl wefreiddiol, a dwi'n ffodus iawn o fod wedi cael gyrfa fel warden efo Parc Cenedlaethol Eryri lle ro'n i'n cael fy nhalu am wneud yr hyn dwi'n ei fwynhau fwyaf, sef bod allan yn y mynyddoedd. Ac ar ben hynny, am nifer o flynyddoedd, mi fues i'n aelod o Dîm Achub Mynydd Llanberis o'i ddyddiau cynnar. Dwi wedi ymddeol o'r ddau orff erbyn heddiw, ond mae'n rhaid imi gael fy ffics wythnosol o fynd am dro yn yr ucheldir. Mi fydda i'n mynd am dro hir tua dwywaith yr wythnos, ac os bydd unrhyw beth yn fy rhwystro rhag mynd, mi fydda i'n mynd yn anniddig iawn.

Dwi am rannu rhai o f'atgofion o weithio, gwirfoddoli a hamddena yn Eryri – y dwys a'r doniol, y cymeriadau a'r cyfeillgarwch. Dewch, awn ni am dro ...

Aled 'Còch' Taylor, Hydref 2019

Fi ar gopa'r Wyddfa.

Pennod 1

Dilyn yn ôl troed Moses

'Ti'm yn cael chwarae efo ni, Cochyn, ti'm yn gallu rhedeg!'

Dwi'n dal i gofio'r geiriau hyd heddiw, ond dydyn nhw ddim yn fy mrifo rŵan fel yr oeddan nhw ers talwm. Ro'n i'n teimlo i'r byw ar y pryd, wrth gwrs. Mae plant yn gallu bod yn greulon o onest weithiau, tydyn?

Y rheswm pam roedd plant y pentref yn dweud hynna wrtha i oedd fy mod yn gloff pan o'n i'n blentyn bach. Mi ges i fy ngeni yn 1946, flwyddyn ar ôl i'r Ail Ryfel Byd ddod i ben, ac yn y cyfnod hwnnw roedd afiechydon fel Poliomyelitis, Diptheria ac yn y blaen yn gyffredin iawn. Mi fues i'n ddigon anlwcus i ddal haint Polio pan o'n i tua dwyflwydd oed – effeithiodd hynny ar fy ochr dde gan fy ngwneud i fymryn yn gloff, ac allwn i ddim rhedeg a chwarae pêl-droed fel yr hogiau eraill ar y pryd. Pan fyddai hi'n amser dewis timau, doedd neb byth yn fy newis i, ac mi oedd hynny'n brifo hefyd. Ond os rwbath, mi wnaeth y sylwadau cas fy helpu yn y bôn, drwy 'ngwneud i'n fwy penderfynol a chaled efo fi fy hun. Ro'n i'n benderfynol o ddod dros fy anabledd hynny fedrwn i – ac mi lwyddais i raddau helaeth, er bod gen i wendid yn fy ochr dde hyd heddiw, ac mae fy llaw dde yn lot gwannach na'r un chwith.

Fel yr ydach chi eisoes wedi casglu o fy ffugenw, ma' siŵr, mae gen i wallt coch. Ocê, mae o wedi britho dipyn erbyn hyn, ond dwi'n union fel yr hen ystrydeb honno am bobol o'r fath – dwi'n gallu gwylltio fel matsien ar adegau. Mi fyddai rhai o fy nghyd-weithwyr yn y Parc Cenedlaethol yn tynnu fy nghoes yn

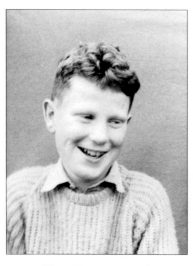

Fi yn 1959, tua 12 oed.

aml, yn dweud rhyw bethau fel 'Aled Còch, Master of Diplomacy'. Ond fydd y tempar ddrwg byth yn para'n hir iawn, ac mae'n bosib bod y cythraul hwnnw sydd yndda i wedi fy helpu i ddelio efo fy anabledd.

A finna wedi fy ngeni a'm magu yng nghanol Eryri ym mhentref Waunfawr – Weun fel bydd pobol leol yn galw'r lle – dwi wedi byw a bod ar y mynyddoedd ers pan o'n i'n ddim o beth. Ond yr hyn a'm helpodd i ddod dros effeithiau'r Polio yn fwy na dim oedd dŵr, a'r ffaith i mi ddysgu nofio pan o'n i'n ifanc iawn.

Hogyn o'r enw Colin Jones, ffrind i fy mrawd, a hogyn o'r pentref, Alan Jackson, ddysgodd fi ym Mhwll Marddwr ar Afon Gwyrfai, ond buan iawn y symudais i byllau mwy, a dyfnach. Ro'n i'n byw a bod yn y dŵr wedyn. Dwi'n cofio Len, fy mrawd, yn dod i fy nôl i un tro a hithau'n hwyr yn y dydd ac yn dechrau tywyllu. Roedd o'n gweiddi arna i:

'Cochyn, ty'd allan!'

'Na!'

'Ty'd allan, rŵan! Ma' hi'n hwyr!'

'Na! Ty'd i mewn i fy nôl i!'

Roeddwn i cau'n glir â dod allan, a dwi'n saff fod nofio wedi bod yn help garw i mi i ddod dros fy anabledd a mynd ymlaen i gael gyrfa yn yr awyr agored ac yn y mynyddoedd lle oeddwn i hapusaf.

I ni – hogia'r 'lâd, fel mae'r Cofis yn galw unrhyw un sy'n dod o'r tu allan i'r Dre – roedd y mynyddoedd yn atynfa naturiol o oedran cynnar iawn. Yn Weun roedd mynydd Cefn Du yn gyfleus ar ein stepan drws, ond Moel Eilio oedd y mynydd 'go-iawn' cyntaf i ni. Ar ôl concro hwnnw, roeddan ni'n gweld y mynydd nesa, a'r nesa ar ôl hwnnw, ac yn fuan iawn roeddan ni'n mynd yn bellach ac yn bellach bob tro. Yn ein welintons yr oeddan ni bob amser – nid y pethau gorau ar gyfer mynydda, ond plant oeddan ni; doedd ganddon ni ddim ofn, a do'n i ddim wedi dysgu rheolau diogelwch mynydd eto.

Dwi'n cofio mynd i fyny Moel Eilio o gwmpas y Nadolig ryw dro, fi a thri neu bedwar o hogia'r pentref. Roedd 'na eira caled dan draed, ond fedrwn i ddim deall pam fod y ddau foi welson ni ar ben y Foel yn syllu ar fap! Mae Moel Eilio yn weddol hawdd i'w ddringo, ac mae'r llwybr yn amlwg iawn.

'I be ddiawl mae'r rhain isio map?' medda fi. 'Sut maen nhw'n meddwl yr awn nhw ar goll yn fama?'

Dwi wedi dysgu 'ngwers ers hynny, sef bod map a

Ysgol Waunfawr, 1957. Fi ydi'r pumed o'r chwith yn y rhes ôl.

chwmpawd yn hanfodol ar bob taith yn y mynyddoedd – er, fel y cewch glywed yn nes ymlaen, dwi wedi bod yn euog o anghofio'r cyngor yna fy hun weithiau. Beth bynnag, y diwrnod hwnnw mi aethon ni yn ein blaenau ar hyd y grib – Foel Gron, Foel Goch a Moel Cynghorion, cyn penderfynu mynd yn ôl at Foel Gron a'i chychwyn hi i lawr o fanno. Mi ddechreuon ni redeg i lawr yn gyfochrog â wal gerrig, ac roedd 'na luwchfeydd eira dwfn yr ochr draw iddi. Yn un lle dyma fi'n neidio dros y wal 'ma, gan ddisgwyl glanio mewn eira meddal, braf, ond roedd o wedi rhewi'n galed. Roedd hi'n rhy hwyr i rybuddio'r hogia, a'r peth nesa, roeddan nhwtha'n bowndian i lawr yr eira wrth fy ochr i. Yn ffodus iawn, doeddan ni ddim gwaeth, ac ymhen ychydig roeddan ni'n croesi'r caeau at y Snowdon Ranger – cyn-westy ym Metws Garmon sydd bellach yn hostel boblogaidd efo mynyddwyr. Mi gawson ni ddiod o ddŵr gan y warden yn fanno cyn cerdded yn ôl ar y lôn bost i Weun. Pnawn anturus dros ben, ond roedd hynny'n beth oedd yn digwydd yn weddol aml i ni.

Mae mynyddoedd Eryri wedi bod yn rhwystr naturiol, peryglus i awyrennau ers dyddiau'r Ail Ryfel Byd, ac mae gweddillion nifer ohonynt i'w gweld yma ac acw yn yr ucheldir. Mi ges i ddamwain ddrwg fy hun un tro wrth fynd i chwilio am weddillion hen awyren ryfel. Mi gewch chi'r hanes hwnnw, a hanesion damweiniau awyrennau eraill yn nes ymlaen, ond pan o'n i tua naw oed, mi oedd 'na ddamwain awyren ar Mynydd Mawr, sydd ond ychydig filltiroedd o Weun.

Hydref 1956 oedd hi, a dwi'n cofio criw ohonon ni'n mynd dros y mynydd i ochrau Betws Garmon i geisio'i gweld hi. Yn ôl yr adroddiadau roedd peilot yr awyren De Havilland Vampire yn ymarfer hedfan yn y nos. Newydd godi i'r awyr tua deng munud ynghynt o orsaf y Fali oedd yr awyren pan blymiodd i mewn i'r mynydd. Lladdwyd y peilot yn y fan a'r lle. Be dwi'n gofio ydi gweld lorïau Tîm Achub Mynydd y Llu Awyr yn mynd drwy Weun, ar eu ffordd i warchod safle'r ddamwain. I ffwrdd â ninnau i fusnesu. Mi oedd 'na bont yn arfer mynd drosodd i hen chwarel ger Llyn Cwellyn ers talwm, ac ar honno yr aethon ni i drio cael golwg ar yr awyren, er mai tir preifat oedd o, erbyn deall. Dydi'r bont ddim yno heddiw, ond chawson ni ddim mynd yn rhy agos at y lle p'run bynnag. Mi yrrodd y wraig oedd yn byw gerllaw ei chŵn ar ein holau ni, a'n dwrdio ni am ein bod ar ei thir hi, am wn i! Oeddan, roeddan ni'n medru bod yn ddiawlad bach drwg ar adegau!

Mi ddechreuais saethu a hela yn fuan wedyn, efo dau ffrind o'r pentref, Clive Cotton a Trevor Beech. Gynnau dwy-faril 12 bôr oeddan ni'n eu defnyddio, a chwningod oeddan ni'n eu hela gan fwyaf, ar y llethrau uwchben y pentref. Roedd ganddon ni ffurat a dau gi ar gyfer hela cwningod – roedd 'na gannoedd ohonyn nhw o gwmpas bryd hynny, yn enwedig mewn lle o'r enw Boncan Now Dinas, ar fferm Dinas yn Weun. Ond mi

Trevor Beech, fi, Alan Cotton a Clive Cotton.

bylodd fy niddordeb mewn hela pan gydiodd y chwilen ddringo a mynydda yndda i. Erbyn dallt, roedd mynydda – yn arbennig ar yr Wyddfa – yn fy ngwaed.

Dwi'n cofio fy mam yn gwylio Râs yr Wyddfa ar S4C, y tro cyntaf iddi gael ei darlledu'n fyw, ac eisteddais i'w gwylio efo hi am dipyn, a dyma un o'r sylwebwyr yn dweud rhywbeth fel 'a dyma nhw rŵan yn dringo Allt Moses ...'

'Ew, fy nhaid oedd hwnna,' meddai Mam.

'Pwy, Moses?' medda finna, yn gegagored, a dyma hi'n egluro pwy oedd o.

Moses Williams oedd ei enw, ac roedd o'n dywysydd ar yr Wyddfa am 50 mlynedd. Bu'n rhedeg bwyty o fath hefyd, yn uwch i fyny na Gorsaf Hanner Ffordd – y Good Templars' Restaurant. Dwi wedi dod ar draws llun sy'n dangos y caffi, ac mae enw Moses Williams i'w weld ar arwydd uwchben y drws. Mae'n amlwg ei fod o'n gwerthu nwyddau, cofroddion a

Cwt Moses Williams ar waelod Allt Moses.

16

diodydd a ballu. Dipyn o *entrepreneur* yn ei ddydd, mae'n rhaid. Dwi'n cofio llun mawr ohono uwchben y lle tân yn nhŷ Nain: dyn trawiadol yr olwg, yn gwisgo het tam o' shanter ar ei ben. Pan o'n i'n hogyn bach, ro'n i'n meddwl mai rhyw Albanwr oedd o – wyddwn i ddim mai fy hen daid oedd o bryd hynny, a wnaeth neb ddweud yn wahanol. Bu farw yn 1899, ac ymddangosodd y pwt canlynol yn y papurau lleol:

> DEATH OF A CELEBRATED SNOWDON GUIDE. On Thursday, there died at Hen Dai, Waen-fawr, Mr Moses Williams, at the age of 86 years. The deceased was a celebrated guide to Snowdon, and probably climbed up the mountain more times than anyone else, for he followed the occupation of guide for 50 years, and for 28 years he kept the Halfway House on the Llanberis path.

> Y *Carnarvon and Denbigh Herald* a'r
> *North and South Wales Independent*, 12 Mai, 1899

Roedd ei ferch, Sarah Hughes, fy nain ar ochr Mam, yn forwyn yn y Snowdon Ranger Hotel. Mwynwr yng ngwaith copr Drws y Coed, Dyffryn Nantlle oedd fy nhaid, a William Hughes Meinar oedd pawb yn ei alw fo. Mi gawson nhw saith o blant – Annie Hughes, fy mam, a phedwar brawd a dwy chwaer iddi. Symudodd y teulu i Nantlle wedyn, pan gafodd taid waith yn Chwarel Dorothea.

Garddwr ym Mhlas Glynllifon oedd fy nhaid ar ochr fy nhad, ond mi farwodd o yn ddyn ifanc. Aeth fy nhad, George Taylor, i'r fyddin yn hogyn 16 oed adeg yn Rhyfel Byd Cyntaf ... ac mi oroesodd, wrth gwrs, neu faswn i ddim yma heddiw. Aeth i weithio i Lerpwl ar ôl gadael y fyddin, yn gwneud gwahanol swyddi, ond pan aeth ei chwaer i fyw i Waunfawr, mi symudodd yno i fyw efo hi am sbel, a dyna pryd wnaeth o gyfarfod Mam.

Ro'n i'n un o bedwar: fi, Len fy mrawd a dwy chwaer – Mair, sydd wedi'n gadael ni'n ddiweddar, ac a oedd yn byw ym Methel, a Catherine sy'n byw yn ardal Anfield, Lerpwl. Oherwydd cysylltiadau fy nhad mae gan Lerpwl le agos iawn at ein calonnau ni fel teulu, ac yn enwedig y tîm pêl-droed enwog. Mi fues i'n mynd i Anfield i'w gweld nhw'n chwarae yn rheolaidd ers talwm, ond ddim mor aml erbyn heddiw.

Gyda llaw, tra dwi'n sôn am y Snowdon Ranger, mi brynodd y Gymdeithas Hostelau Ieuenctid (Youth Hostel Association) y lle, fel y gwnaethon nhw efo Pen-y-pàs, sef yr hen Gorphwysfa Hotel. Gwesty o'r enw y Royal Hotel oedd Canolfan Fynydda Genedlaethol Plas y Brenin yng Nghapel Curig ar un adeg hefyd, ac yn wreiddiol, gwestai o fath oedd llefydd fel Bwthyn Ogwen yn Nyffryn Ogwen a Glyn Padarn, yn Llanberis, neu'r Kent Mountain Centre fel y mae o heddiw. Mae'n dda gweld bod yr hen adeiladau wedi gallu parhau i fod o ddefnydd heddiw, achos mae'n amheus a fyddan nhw wedi gallu cario 'mlaen fel gwestai.

Pennod 2

Dechrau dringo ac achubiadau cynnar

Hogyn ysgol tua 14 oed oeddwn i pan gymerais ran yn fy achubiad mynydd cyntaf, ymhell cyn i mi fod yn aelod o unrhyw dîm achub. Roedd hi wedi bod yn bwrw eira'n drwm, ac aeth y bws oedd yn mynd â phlant Weun i Ysgol Segontiwm, Caernarfon, yn sownd ar waelod allt Pen Cefn ar y ffordd o Waunfawr i Dre. Mi gaeodd y dreifar y drws fel nad oedd neb yn gallu dod oddi ar y bws, ond mi agorodd rhywun y drws argyfwng yn y cefn. Allan â ni reit handi am adra i chwarae yn yr eira, ac mi ddaeth 'na griw o'n ffrindiau o Gaernarfon i fyny aton ni i gael hwyl. Roedd fy mêt Tony Georgeson, oedd yn byw wrth fy ymyl i, wedi benthyg ystol hôm mêd gan un o'r cymdogion, ac mi aethon ni â hi i fyny'r mynydd gyda'r bwriad o'i defnyddio hi fel slej. Ar ôl i ni ddringo fyny i Allt Goch ar ochrau Moel Eilio, mi ddaeth yn amlwg nad oedd hi'n dda i ddim – roedd hi'n rhy drwm. Felly mi gawson ni afael ar hen shît sinc, a

Fi ar Boncan Now Dinas, Ochr Cefn Du, yn y 60au.

defnyddio honno i sglefrio i lawr. Roedd y llethr yn un da, ond ar ei waelod roedd 'na lôn drol a chwymp o tua wyth troedfedd i lawr ati, felly roedd yn rhaid i ni ofalu ein bod ni'n rowlio oddi ar y shît cyn cyrraedd y gwaelod. Popeth yn iawn. Mi gawson ni lot o sbort nes i un o'r Cofis – Jimmy Hammond – anghofio rowlio i ffwrdd a mynd dros yr ochr. Y cwbl glywson ni oedd Jimmy'n gweiddi dros y lle, ac erbyn i ni gyrraedd ato fo roedd hi'n amlwg bod y creadur wedi torri ei goes yn reit ddrwg.

Aeth Pat Williams, un o'r genod oedd efo ni, i lawr i'r pentre i nôl Dr Miles, y meddyg lleol – tad yr actores Lis Miles a'i brawd, yr awdur Gareth Miles. Mi ddaeth y ffermwr, William Lloyd Hughes, Gwastadfaes, o rywle efo pwced yn llawn o wyau, ac mi ddywedodd wrthon ni am fynd â Jim i lawr i'r fferm. Roeddan ni'n pendroni sut i wneud hynny, achos roedd Jim yn hogyn reit fawr, a dyma ni'n cofio am yr ystol! Mi roeson ni fo ar honno, fel strejiar, a'i gario i lawr i'r fferm oedd tua tri chwarter milltir, os nad milltir, i ffwrdd. Roedd o'n waith go anodd, ac roeddan ni wedi blino'n lân erbyn cyrraedd. Mi lwyddon ni i'w gael o i un o'r siediau i ddisgwyl yr ambiwlans, ac ymhen ychydig dyma ni'n clywed sŵn y clychau'n dod o bell – doedd gan ambiwlansys ddim seiren bryd hynny. A dyna'r achubiad cyntaf y bûm i'n rhan ohono, reit ar drothwy fy nghartref.

Ar gyrion Waunfawr oedd yr achubiad 'swyddogol' cyntaf i mi gael fy ngalw allan iddo hefyd, ryw bum mlynedd yn ddiweddarach. Dwi'n cofio'r dyddiad yn iawn: dydd Sul 23 Hydref 1966, y penwythnos ar ôl trychineb Aber-fan. Do'n i ddim yn aelod o dîm achub mynydd bryd hynny chwaith – wnes i ddim ymaelodi efo tîm Llanberis tan o gwmpas 1969 – ond roedd pawb yn y pentref yn gwybod fod gen i ddiddordeb mewn mynydda, a 'mod i'n adnabod yr ardal yn reit dda. Y diwrnod hwnnw, roedd criw o hogia oedd ar eu gwyliau o ardal Manceinion wedi clywed rhywun yn gweiddi am help o gyfeiriad Cefn Du uwchben Waunfawr. Erbyn deall, roedd pedwar o bobol ifanc wedi disgyn i mewn i un o'r tyllau chwarel yno.

Daeth Now Thomas, plismon Weun, acw i ofyn i mi faswn i'n medru helpu nes y byddai'r gwasanaethau brys yn cyrraedd. Dyna pam dwi'n dweud mai hwn oedd fy achubiad 'swyddogol' cyntaf. Mi es i lawr i'r twll i weld be fedrwn i wneud, ond pan gyrhaeddais, roedd yn amlwg bod un dyn wedi marw. Roedd tri ohonyn nhw – Lisabeth Miles, y soniais amdani eisoes, Anna Daniel o Fangor a John Owen Hughes o Dreffynnon – wedi cael anafiadau reit ddrwg. Os dwi'n cofio'n iawn roedd un wedi torri coes, un arall wedi torri braich ac un o'r merched wedi dioddef anafiadau i'w hasgwrn cefn. Eifion Wyn Jones o gyffiniau Caerdydd oedd y pedwerydd, yr un wnaeth ddim goroesi. Yn ôl tystiolaeth yn y cwest, mae'n debyg mai mynd i fyny Cefn Du er mwyn gweld y wawr yn torri wnaethon nhw, ar ôl bod mewn parti ym Mangor. Pwysleisiwyd yn y gwrandawiad nad oedd alcohol yn ffactor o gwbl, a marwolaeth drwy anffawd oedd y dyfarniad.

Mi oedd 'na ddoctor newydd yn Ysbyty C&A ym Mangor – Dr Ieuan Jones, a oedd newydd symud yno fel uwch-swyddog damweiniau, ac roedd o wedi cael ei alw allan y diwrnod hwnnw hefyd. Mi wnaeth o waith amhrisiadwy i'r gwasanaeth achub mynydd, gan gynnwys sgwennu llawlyfr cymorth cyntaf – y cyntaf o'i fath, mae'n debyg – ac mi oedd o o flaen ei amser gan ei fod yn dod allan i ddamweiniau. Mi ofynnodd i mi ddal plasma ar gyfer un o'r rhai oedd wedi brifo tra oeddan ni'n disgwyl am strejiar achub mynydd pwrpasol (Thomas Stretcher) a oedd ar ei ffordd o ganolfan fynydda Plas y Brenin. Roedd hogia'r Gwasanaeth Tân wedi cyrraedd yno hefyd, ond strejiar Neil Robinson oedd ganddyn nhw, a doedd hwnnw ddim yn addas ar gyfer y sefyllfa, oherwydd bod angen codi un o'r merched yn llorweddol am ei bod hi wedi brifo'i chefn. Mi ddois i ddeall mwy am y gwahanol strejiars a'r offer arbenigol yn ddiweddarach, ac mae rhestr ohonyn nhw yn nes ymlaen yn y llyfr 'ma.

Roedd yr achubiad hwnnw'n dipyn o ysgytwad ac agoriad llygad i rywun dibrofiad, fel yr o'n i ar y pryd, ond ro'n i'n gweld fy hun yn cael fy nenu fwy a mwy i'r ochr honno o fynydda, sef yr ochr ddiogelwch ac achub, a dyna un o'r rhesymau y penderfynais ymuno â thîm Achub Mynydd Llanberis ymhen hir a hwyr.

Ro'n i wedi gadael Ysgol Segontiwm, Caernarfon yn 15 oed i fynd yn brentis argraffydd efo cwmni'r Goleuad yn y Dre. Roedd y cwmni'n argraffu papur *Y Goleuad* bob wythnos, ac amrywiaeth o bethau eraill hefyd. Gweithio peiriant argraffu Letterpress oeddwn i ar y dechrau, nes inni symud i beiriannau Offset Litho – mae pethau wedi symud ymlaen yn aruthrol ers y dyddiau hynny! Ymhen rhai blynyddoedd symudais i weithio

John Ellis Roberts yn marcio batris lampau efo'r enw 'Llanberis Mountain Rescue'.

yn y stafell dywyll oherwydd bod gen i ddiddordeb mewn ffotograffiaeth, ac yno y bûm i'n gweithio am 17 mlynedd nes i mi weld swydd efo'r Parc Cenedlaethol yn cael ei hysbysebu, ac yn y Parc yr arhosais i o 1979 tan i mi ymddeol yn 2011.

Mi fues i'n gwneud chydig o waith i'r Parc yn achlysurol yn yr 1970au cynnar, gan ddod i adnabod un o hoelion wyth y tîm achub a'r Parc Cenedlaethol, John Ellis Roberts, oedd yn ddringwr profiadol ac uchel iawn ei barch ymhlith mynyddwyr.

Roedd o hefyd yn Dywysydd Mynydd Rhyngwladol (International Mountain Guide). Mae Tywysydd Rhyngwladol yn gorfod gallu sgïo i safon uchel yn ogystal â mynydda, ac mae'n bosib iawn mai John oedd yr unig Gymro Cymraeg i gael y cymhwyster yma. Fel John Êl neu John Ellis yr oedd y rhan fwyaf yn ei adnabod, a fo oedd prif warden y Parc. Roedd o wedi symud i fyw i Waunfawr a thrwyddo fo, mi ddechreuais wneud ambell ddiwrnod fel warden gwirfoddol efo'r Parc, nes i mi ymuno â nhw'n llawn amser. Roeddwn i wrth fy modd allan yn y mynyddoedd, felly roedd o'n gam naturiol.

Pennod 3

Achub mynydd – y dyddiau cynnar

Cyn ffurfio Tîm Achub Mynydd Llanberis yn 1968, roedd y rhan fwyaf o achubiadau yn ardal yr Wyddfa yn cael eu cyflawni gan bwy bynnag oedd yn digwydd bod ar gael ar y pryd. Roedd gwesty Pen y Gwryd yng ngwaelod Blwch Llanberis yn Orsaf Achub Mynydd swyddogol – hynny yw, roedd o'n dangos hynny ar fapiau Ordnans, fel bod pobol yn deall (neu i *fod* i ddeall) bod offer achub a chymorth cyntaf ar gael yno. Landlord y gwesty ers 1947 oedd gŵr o'r enw Chris Briggs, ac am flynyddoedd roedd y rhan fwyaf o achubiadau yng nghyffiniau'r Wyddfa yn cael eu cydlynu ganddo fo. Y drefn oedd bod yr heddlu'n derbyn galwad i ddweud bod rhywun mewn trafferthion, ac roeddan nhw'n cysylltu efo Chris. Roedd yntau wedyn yn mynd i far y gwesty i weld os oedd rhywun ar gael i helpu, neu byddai'n mynd i fyny i Ben-y-pàs neu ble bynnag, ac yn tanio roced er mwyn rhybuddio unrhyw un oedd yn yr ardal fod 'na argyfwng a bod angen cymorth. Wedyn roedd pwy bynnag oedd o gwmpas yn dod ymlaen i roi help llaw. Petai'r achubiad yn un technegol lle'r oedd galw am sgiliau arbenigol roedd o naill ai'n galw canolfan Bwthyn Ogwen, staff Plas y Brenin neu Dîm Achub y Llu Awyr yn y Fali, i'w gynorthwyo.

Doedd hi ddim yn system wych a di-ffael o bell ffordd, ac erbyn diwedd yr 1960au roedd hynny'n dod yn fwy a mwy amlwg. Mae'n werth nodi yn y fan yma nad oedd hyd yn oed aelodau tîm achub y Llu Awyr yn arbenigwyr yn y dyddiau cynnar hynny. Ar wahân i'r arweinydd, roedd aelodau eraill y tîm yn gwneud swyddi eraill yn y Llu Awyr o ddydd i ddydd, ac ond yn helpu allan pan oedd eu hangen. Yn annisgwyl, efallai, offer digon sâl oedd ganddyn nhw bryd hynny hefyd. Oherwydd rheolau'r Llu Awyr, roedd yr aelodau'n gorfod gwisgo beret swyddogol tan oeddan nhw wedi cyrraedd 2,000 o droedfeddi, wedyn roeddan nhw'n cael gwisgo penwisg mwy addas. Rheol hurt!

Wrth i fwy a mwy o bobol heidio i Eryri i gerdded a dringo, roedd mwy a mwy o ddamweiniau'n digwydd, a doedd y system achub ddim yn medru cadw i fyny â'r galw. Roedd Tîm Achub Mynydd Dyffryn Ogwen wedi cael ei ffurfio yn 1964, a daeth penaethiaid y canolfannau awyr agored niferus oedd i'w cael o gwmpas yr Wyddfa at ei gilydd mewn cyfarfod yn 1968 i drafod sefydlu tîm ar gyfer ardal Llanberis.

Dringwr adnabyddus o'r enw Don Roscoe, o Fanceinion yn

Elwyn Davies a finna ar Garreg Wastad, Bwlch Llanberis, yn y 70au cynnar.

wreiddiol, oedd un o'r ceffylau blaen. Roedd o'n aelod o glwb o'r enw The Rock and Ice Club efo dringwyr adnabyddus eraill fel Joe Brown a Don Whillans. Roedd Roscoe yn ddringwr caled, roedd ganddo flynyddoedd o brofiad ac wedi sgwennu tywyslyfrau neu ganllawiau ar gyfer gwahanol ddringfeydd yng nghyffiniau'r Wyddfa. Cynhaliwyd cyfarfod i drafod sefydlu'r tîm achub yng Nglyn Padarn, Llanberis, ar 23 Mai 1968, ac etholwyd Don Roscoe yn gadeirydd. Yn anffodus, does dim cofnod o pwy yn union oedd yn bresennol yn y cyfarfod, ond gwyddom eu bod yn cynnwys Dr Ieuan Jones, y swyddog damweiniau y soniais amdano eisoes; John Ellis Roberts a ddaeth yn fòs arna'i, a ffrind da, ymhen ychydig flynyddoedd, a rhai dringwyr lleol fel Jesse James o Benisarwaun, a fu'n aelod o'r tîm am flynyddoedd, a John Brailsford o Ddeiniolen, tad Syr Dave Brailsford, yr hyfforddwr seiclo enwog.

Ymunais â'r tîm o gwmpas 1969. Ro'n i wedi helpu allan efo ambell ddigwyddiad cyn hynny, felly roedd o'n gam naturiol i mi ymuno â'r tîm yn swyddogol.

Mae'r aelodaeth wedi newid yn aml dros y blynyddoedd, ac mae'n hawdd iawn pechu wrth ddechrau rhestru enwau, ond roedd rhai lleol fel John Êl, Tom Tomos, Jesse James, Hugh Walton, Cledwyn Jones, Gwynfor Williams, John Mills, Ginger Cain a John Grisdale yn rhai o'r aelodau cyson am flynyddoedd.

Chafodd tîm Llanberis mo'i gydnabod tan 1973 gan y Cyngor Achub Mynydd (CAM), sef y corff canolog, am nad oedd y cyfansoddiad wedi ei gadarnhau ar bapur tan hynny. Yna, yn 1976, cafodd canolfan wardeniaid Parc Cenedlaethol Eryri yn Nant Peris ei henwi yn Gorsaf Achub Mynydd Rhif 77 gan y CAM. Chwarae teg i'r Parc, mi gawson ni ddefnyddio'r lle, a chael trydan a llinell ffôn, am ddim am flynyddoedd. Roedd 'na fwy o le yno, ac roedd yr adeilad yn ddiogel ar gyfer cadw'r offer. Yn sgil derbyn y gydnabyddiaeth honno, cafwyd gwell offer gan CAM (sydd bellach yn cael ei alw'n Achub Mynydd

*Brian Jones, fi a Sam Roberts yn achub dafad o Ddinas Bach,
Bwlch Llanberis, yn 1974.*

Llun o'r tîm yn Nant Peris ryw dro yn y 70au.

John Êl a Simba uwchben Glaslyn yn chwilio a ddringwr oedd o dan Glogwyn y Garnedd.

Lloegr a Chymru). Dim ond strejiar, sach anafiadau (*casualty bag*, sef sach gysgu efo sach allanol arall gwrth-ddŵr amdani) a stwff cymorth cyntaf oedd o, ond o leia roeddan nhw'n newydd. Roeddan nhw'n cael y stwff cymorth cyntaf drwy'r Gwasanaeth Iechyd. Ar ôl pob digwyddiad mae'n rhaid llenwi ffurflen i roi adroddiad o be ddigwyddodd, enwau pawb fu'n ymwneud â'r achubiad, a rhestr o unrhyw offer a ddefnyddiwyd, ac mae'r CAM yn adnewyddu'r stwff cymorth cyntaf yn rheolaidd fel bo'r angen.

Mi wnes i gyflawni sawl rôl yn y tîm yn ystod fy amser yn aelod ohono. Mi fues i'n swyddog cyfarpar am flynyddoedd, yn gyfrifol am yr offer i gyd – o'r rhaffau i'r strejiars, ac o'r setiau radio i'r stwff cymorth cyntaf. Roedd yn rhaid cadw golwg ar bopeth i wneud yn siŵr nad oedd unrhyw beth yn mynd yn brin neu'n dirywio. Mi ges i ddau gyfnod yn gadeirydd y tîm hefyd. Roedd rhywun yn gwneud y swydd honno am gyfnod o dair blynedd, ac yna'n sefyll i lawr er mwyn rhoi cyfle i rywun arall. Ar un adeg roedd pawb yn gorfod ymddeol o'r tîm pan oeddan nhw'n 60, ac ro'n i'n un o'r rhai a gyflwynodd y rheol honno. Ond pan ddaeth hi'n amser i mi fynd, ro'n i'n teimlo bod gen i lawer mwy i'w gynnig i'r tîm o hyd, ac yn gyndyn iawn o ollwng gafael.

Pennod 4

Ymuno â Thîm Achub Llanbêr

Efo Dei Tomos y dechreuais fynydda o ddifri yn Eryri. Roedd hyn cyn i 'run ohonon ni gael car, felly mynd ar y bysys neu gerdded oeddan ni fel rheol.

I Fwlch Llanberis oeddan ni'n mynd fwyaf, i ddringo neu i gerdded. Pan aeth Dei i'r Coleg Normal daeth yn aelod o'r clwb dringo yno, ac am ei fod o'n fwy profiadol na fi, fo fyddai'n arwain ar ddringfeydd. Roedd Dei'n warden gwirfoddol efo'r Parc ymhell cyn i mi ddechrau, ond byddwn yn mynd allan ar yr Wyddfa efo fo bob cyfle gawn i. Roedd o'n aelod o dîm Llanberis yn y dyddiau cynnar hefyd, ac efo fo yr es i ar fy nhaith fynydda gynta tu allan i Gymru, i Ardal y Llynnoedd.

Mae Dei yn adnabyddus drwy Gymru fel darlledwr poblogaidd ar y BBC, fel arweinydd eisteddfodau ac fel galwr mewn twmpathau dawns ymysg llawer o bethau eraill, ond Dei Bach fydd o i mi a fy nghyfoedion, am mai dyna oedd ei lysenw yn yr ysgol. Mae o hefyd yn dipyn o fynyddwr, ac roedd yr ymweliad ag Ardal y Llynnoedd yn un cofiadwy, nid cymaint oherwydd y dringo, er bod hwnnw'n dda ...

Roedd Dei wedi bod yn galw mewn rhyw dwmpath dawns yn rhywle ac roedd hi'n hwyr iawn arnon ni'n cychwyn ar y daith i fyny. Roedd hyn rywbryd yn yr 1970au cynnar; dwi ddim yn cofio'r union flwyddyn, ond roedd yr M6 yn newydd, a doedd hi ddim wedi agor yn llawn eto. Pan oeddan ni ar y draffordd yng nghanol y nos dechreuodd Dei deimlo'n gysglyd, a phenderfynodd mai'r peth doethaf i'w wneud oedd stopio a

Hofrenydd Wessex 22 SQDN yn codi aelodau o
Dîm Llanberis yn Nant Peris.

chael cwsg bach. Doedd dim amdani ond parcio'r car ar y llain galed. Oedd, roedd o'n beth peryglus i'w wneud, ond doedd 'na ddim chwarter cymaint o draffig yr adeg honno, felly doedd o ddim mor ddrwg â hynny a dweud y gwir. Y peth nesa, dyma 'na oleuadau llachar yn sgleinio i mewn i'r car. Goleuadau car plismon oeddan nhw, ac ymhen hir a hwyr roedd 'na gnoc ar y ffenest. Mi gawson ni rybudd am stopio mewn lle mor wirion, ac ar ôl i Dei gael cerydd ganddyn nhw, i ffwrdd â ni unwaith eto.

Roedd Tom, brawd Dei, yn gweithio yn Hafod Meurig – canolfan addysg a gweithgareddau awyr agored y Rainier Foundation yn hen Ysgol Brynrefail ym Mrynrefail (y Caban erbyn hyn) – ond roedd o wedi mynd i fyny i weithio dros dro mewn canolfan fynydda yn Ardal y Llynnoedd. Digon o esgus i ni fynd i fyny i'w weld o, a gwneud dipyn bach o ddringo yn yr ardal ar yr un pryd. Roedd o'n byw yn Eskdale, ac yno yr oeddan ni'n aros hefyd.

Un o'r dringfeydd yr oeddan ni'n anelu i'w gwneud oedd y Great Gable, un o gopaon ucha'r ardal. Dyna pryd y gwnes i sylweddoli pa mor hawdd yr oedd hi i rywun fynd ar goll yn y mynyddoedd heb fap a chwmpawd. Pan o'n i'n ifanc, ac yn dechrau arni, ro'n i wastad wedi gweld mynydda'n beth gweddol hawdd. Ond ro'n i yn fy nghynefin, toeddwn? Yn Eryri, ro'n i'n medru gweld rhywle oedd yn gyfarwydd i mi o bob man yr awn i, bron iawn, ac felly roedd gen i syniad go lew ble ro'n i fel arfer. Dydi hynny ddim yn arfer da chwaith, cofiwch, achos mae'n amhosib gweld nodweddion cyfarwydd neu adnabyddus pan mae'r niwl neu'r cymylau'n dod i lawr, a map a chwmpawd ydi'r unig opsiwn bryd hynny. Roedd y daith i Ardal y Llynnoedd, oedd yn lle cwbl ddiarth i mi ar y pryd, yn fodd o agor fy llygaid a dysgu gwers bwysig ynglŷn â diogelwch. Na, wnaethon ni ddim colli'n ffordd y tro hwnnw, a doedd y tywydd ddim yn ddrwg iawn, ond am ei fod o'n lle diarth, heb fapiau a chwmpawd mi fasa hi wedi gallu bod yn stori wahanol.

Fi mewn 'snow hole' yn y Cairngorms yn yr Alban.

Bu Dei yn gweithio i'r Urdd am 12 mlynedd, yn gyntaf fel trefnydd yn Sir Drefaldwyn, ac yna fel dirprwy bennaeth Glan-llyn, canolfan y mudiad ar lannau Llyn Tegid. Yn y cyfnod hwnnw, sef yr 1960au hwyr, aeth yr Urdd ati i addasu hen sgubor yn Nant Gwynant yn gwt dringo. Roedd 'na welyau yno, a chegin reit sylfaenol. Canolfan Ysgubor Bwlch oedd enw'r lle, ac mae o ar dir fferm Hafod y Llan. Mae'n dal yno, ac yn dal yn ganolfan ar gyfer mynydda, er nad ydi o yn nwylo'r Urdd erbyn hyn. Byddai Dei yn dod â chriwiau o Lan-llyn yno i fynydda, ac weithiau roedd 'na griw ohonan ninnau'n cael defnydd o'r lle – pobol o'r un anian â Dei a finna, fel Iolo ap Gwynn, er enghraifft, a sawl un arall profiadol a dibrofiad oedd jest yn hoff o'r mynyddoedd. Roedd yn braf cael siawns i ganolbwyntio'n llwyr, fwy neu lai, ar hynny. Ymhen amser rhoddwyd hen bwerdy Blaencwm yng Nghroesor i'r mudiad, ond mae hwnnw'n ôl yn gweithredu fel gorsaf drydan ddŵr erbyn hyn.

Mae 'na achlysur arall sy'n ymwneud â Dei yn dod i'r cof. Roedd Sam a finnau i lawr yn y Sioe Frenhinol yn Llanelwedd un flwyddyn yn yr 1980au, yn arddangos technegau codi strejiar ar glogwyn. Tŵr mawr pren oedd y clogwyn, ac roedd y ddau ohonan ni'n chwys doman, am ei bod hi'n ddiwrnod poeth ofnadwy. Ar ôl gorffen am y diwrnod mi welson ni Dei, oedd wedi ei wisgo'n smart – tei du a'r cwbwl lot – yn barod i fynd i ryw ginio pwysig, a dyma fo'n ein gwahodd ni i ddod efo fo. Roedd Sam a finnau ar lwgu, felly chymerodd hi ddim llawer o berswâd. Dyna lle oeddan ni yng nghwmni'r bobol bwysig, yn cynnwys y gŵr gwadd, aelod seneddol Mynwy ar y pryd, Syr John Stradling Thomas, a ninna'n dal yn ein dillad chwyslyd ar ôl diwrnod caled o waith. Mi fuon ni'n gwledda yn fanno ac yn clecio glaseidiau o win drwy'r nos. Ew, mi gawson ni amser da, ond dwi ddim yn meddwl ein bod ni wedi gwneud llawer o argraff ar Syr John a'i gyfeillion!

Doedd gen i, fel sawl aelod arall o'r tîm, ddim ffôn yn y tŷ pan ymunais efo'r tîm achub – yn wir, doedd gen i ddim un tan i mi ddechrau gweithio'n llawn amser i'r Parc Cenedlaethol. Doeddwn i ddim wedi pasio fy mhrawf gyrru ar y dechrau chwaith, ond doedd hynny, na bod heb ffôn, ddim yn anghyffredin ar ddechrau'r 1970au. Byddai'r heddlu neu aelod arall o'r tîm yn dod heibio i'n galw ni i mewn os oedd ein hangen, a dyna'n union ddigwyddodd un noson ar ôl i mi fod ar y cwrw yn Dre. Yn fy ngwely o'n i pan glywais gnoc ar y drws ffrynt. Dyma fi'n codi a stagio drwy'r ffenest a gweld car brechdan jam y tu allan – hen gar heddlu efo streips ar yr ochr. Roedd gan geir plismyn lampau ar y to ers talwm, ac roedd 'na un o'r rheiny'n sgleinio reit i fy llygaid pan agorais ffenest y llofft.

'Aled Taylor?' medda'r plisman.

'Ia,' medda finna, gan rwbio fy llygaid.

Criw o ffrindia Weun ar ôl bod ar ben yr Wyddfa yn y 60au cynnar:
Robin Walker, fi, Dylan Parry a Bella.

'Mae 'na ddringwyr ar goll ar yr Wyddfa ... maen nhw isio i chdi ddod cyn gynted â phosib.'

Fan Mini oedd gin i ar y pryd, ac off â fi i Ben-y-pàs (oeddwn, mi oeddwn i'n ddigon sobor i ddreifio erbyn hynny!). Mis Rhagfyr oedd hi, ac eirlaw yn disgyn yn y gwaelodion – ond roedd hi'n pluo eira'n drwm i fyny yn fanno, ac roedd hi'n denau iawn o ran gwirfoddolwyr. Dim ond John Êl oedd yno pan gyrhaeddais i. Ymhen dipyn daeth Harvey Lloyd, a oedd newydd ddechrau fel warden yr hostel ieuenctid ym Mhen-y pàs ryw chwe mis ynghynt, a'i ddirprwy, Richard Dean. Wedyn cyrhaeddodd Cledwyn Jones o Lanberis, neu Lofty fel roedd pawb yn ei alw. A'r olaf o'r criw y noson honno oedd Eric 'Superchef' Jones o Ddeiniolen, a oedd yn *chef* yng Nghaffi Gorffwysfa ym Mhen-y-pàs. Roedd Tony Bennett, cyn-arweinydd tîm achub mynydd y Llu Awyr, o gwmpas yn rhywle yn ogystal, a chadwai John mewn cysylltiad ag o ar ei radio.

Roedd y tywydd yn ofnadwy wrth i ni ddringo i fyny am Lliwedd. Mae Lliwedd yn rhan o Bedol yr Wyddfa, sydd hefyd yn cynnwys Carnedd Ugain a'r Grib Goch, ac mae o'n 898 metr (2,946 troedfedd) o uchder – ac ar Lliwedd y mae'r clogwyn uchaf yng Nghymru (dros 1,000 o droedfeddi). Yn y dyddiau cynnar hynny doedd gynnon ni ddim canolfan sefydlog er mwyn cadw mewn cysylltiad efo'r tîm ar y radio, felly roedd un o'r aelodau (dwi ddim yn cofio pwy yn union oedd o yn yr achos yma) yn gorfod eistedd yn y Land Rover efo'r radio. Hwn fyddai pwynt cyswllt yr achubiad, neu *base*. Dydi awr yn ddim byd pan dach chi allan ar y mynydd, ond pan dach chi'n eistedd yn fanno heb ddim i'w wneud, yn sâl isio gwybod be sy'n mynd ymlaen ac eto'n gorfod canolbwyntio ar y radio, mae'r amser yn mynd yn ara deg ofnadwy. Dydi'r criw sydd ar y mynydd ddim isio i chi eu galw nhw bob munud, wrth gwrs, felly mae'n rhaid defnyddio synnwyr cyffredin. Dwi wedi gwneud y job honno fy hun ddigon o weithiau i wybod hynny. Job oer, unig, a di-

Cario claf i lawr llwybr Watkin ar ôl achubiad yn yr 80au.

ddiolch i raddau, ond job hollol hanfodol hefyd.

Toc, mi ddaeth *base* ar y radio a gofyn lle oeddan ni, a dyma John yn dweud 'we're ten minutes from the Col'. Yn syth, dyma Eric yn gofyn, 'Pwy 'di Col, y boi sy ar goll, ia?' heb wybod mai'r term am ddarn o dir rhwng dau grib oedd o. Dechreuodd bawb chwerthin, ond wnaeth yr hwyl ddim para'n hir. Roedd tri dringwr arall wedi clywed chwiban ac wedi gweld golau tortsh ar y clogwyn, a nhw oedd wedi rhybuddio'r tîm achub. Roedd gynnon ni syniad go lew o leoliad y dringwyr, ac wrth i ni ddod i ben Lliwedd mi wnaethon ni lwyddo i gysylltu efo nhw drwy weiddi. Dau ohonyn nhw oedd yno, a doedd yr un ohonyn nhw wedi brifo, diolch byth. Roedd ganddyn nhw offer a chysgod reit dda, ond roeddan ni'n amau nad oedd ein rhaffau ni'n ddigon hir i'w cyrraedd nhw, felly dyma benderfynu aros yn lle roeddan ni, mewn math o dentiau bach – *bothy shelters* – i ddisgwyl am Tony Bennett oedd yn ein dilyn ni efo rhaff hirach. Roedd John a Harvey yn un o'r tentiau, a thri Chymro – Cled,

Eric a finnau – yn y llall, efo dau Sais bob pen inni, sef Richard Dean ac un o'r bobol oedd wedi'n hysbysu ni fod y ddau mewn trafferthion. Ro'n i yn y canol yn eistedd ar y rhaffau ac yn trio cadw'n gynnes, Cled ar un ochor i mi ac Eric ar yr ochr arall, ac ymhen sbel dyma Eric yn gofyn,

'Lle ydan ni Còch?'

'Ar ben Lliwedd,' medda fi.

'O ... (saib) Lle mae fanno?'

'Wyddost ti'r clogwyn mawr 'na sy uwchben Llyn Llydaw?'

'O ia, mi wn i.'

'Wel, ti ar dop hwnnw.'

'Ffwcin 'el!'

Fel'na fu petha drwy'r nos, fo'n gofyn cwestiynau a ninna'n chwerthin. Ond fel aeth y noson yn ei blaen, doedd 'na ddim golwg o Tony Bennett. Mi alwon ni *base* ar y radio i holi amdano, ond doedd ganddyn nhw ddim syniad chwaith.

Roedd hi'n dechrau gwawrio erbyn hynny, ac roedd yn rhaid

Llwybr Llanberis ger Bwlch Glas, a'r eira'n cael ei chwythu gan wynt cryf.

i ni benderfynu a oeddan ni am geisio gwneud yr achubiad heb Tony, a heb y rhaff hir angenrheidiol. Mynd amdani wnaethon ni, ac abseiliodd John i lawr dringfa enwog o'r enw Terminal Arête i weld pa mor agos y gallai ddod at y pedwar. Yn ffodus, roedd y rhaff yn ddigon hir wedi'r cwbwl, ac mi lwyddodd i'w cyrraedd, felly mi fedron ni drefnu system pwli efo'r rhaffau eraill i'w tynnu nhw i fyny'r clogwyn fesul un. Fel yr oeddan ni'n tynnu'r dyn olaf i fyny, pwy ddaeth drwy'r niwl ond Tony Bennett o gyfeiriad yr

Fel hyn mae Bwlch Glas ar yr Wyddfa yn gallu bod yn y gaeaf, gyda phobol yn trio dringo heb offer priodol.

Wyddfa – cyfeiriad annisgwyl mewn ffordd, achos o gyfeiriad Pen-y-pàs yr oeddan ni'n disgwyl iddo fo ddod. Eglurodd fod ei lamp wedi stopio gweithio, a gan ei bod hi'n *white-out*, sef storm o eira lle mae'n amhosib gweld lle ydach chi'n mynd, mi oedd o wedi ceisio cadw'n isel, gan feddwl y basan ni'n ei glywed o'n gweiddi arnon ni. Ond mi oedd o wedi mynd i lawr bron iawn i Fwlch Ciliau, ac yn gall iawn, penderfynodd aros yno nes iddi oleuo, fel y gallai weld yn union lle'r oedd o. Mi lapiodd o'r rhaff am ei gorff i gadw'n gynnes.

Ia, rhyw ddysgu wrth fynd yn ein blaenau oeddan ni yn y dyddiau cynnar rheiny.

Pennod 5

'Galw Mike Whisky Alpha ...'

Damwain awyren ar Grib y Ddysgl oedd y digwyddiad mawr cyntaf i mi fod yn rhan ohono ar ôl ymuno efo'r tîm achub. Ro'n i'n digwydd bod allan ar y mynydd un bore ym mis Hydref 1972, yn sgwrsio efo Siôn Rees, warden efo'r Cyngor Cadwraeth Natur (y corff sy wedi newid ei enw sawl gwaith ac sy'n cael ei alw'n Cyfoeth Naturiol Cymru ar hyn o bryd, nes y bydd yn newid eto, mae'n siŵr). Mi ddaeth y boi 'ma aton ni i ddweud bod awyren wedi dod i lawr ar Grib y Ddysgl. Roedd o wedi bod yn cerdded yn uwch i fyny'r Wyddfa pan glywodd sŵn injian, medda fo, ac yna sŵn fel taran. Roedd hi'n ddiwrnod gwyntog iawn, ac roedd 'na gymylau isel ar y mynydd ar y pryd, ond mi aeth i gyfeiriad y sŵn a gweld gweddillion yr awyren ar dân. Roedd hi wedi'i hollti'n ddau hefo darnau ohoni ar hyd y lle, a'r pump oedd ar ei bwrdd wedi marw. Doedd ganddyn nhw ddim gobaith a dweud y gwir – roedd yr awyren wedi taro'n erbyn y graig wrth geisio codi, felly roedd hi'n mynd ar dipyn o gyflymder, mae'n debyg. Golygfa erchyll. Roedd y peilot yn dal yn yr awyren, wedi'i losgi'n ddrwg, ac roedd cyrff eraill wedi eu gwasgaru ar hyd ochr y mynydd. Awyren breifat yn hedfan o Southend i'r Fali oedd hi, ac yn ogystal â'r peilot 47 oed, Robert Powl, roedd ei ddau fab 17 ac 16 oed, a gŵr a gwraig yn eu 40au, arni hefyd. Galwyd Tîm Achub Llanberis a daeth hofrenydd yr Awyrlu o'r Fali yno. Doedd y tywydd ddim yn dda, efo'r gwynt yn hyrddio, cymylau isel a glaw mân, ond yn ôl yr ymchwiliad swyddogol i'r ddamwain camgymeriad llywio (*navigational error*) ar ran y peilot oedd yr achos. Mewn sefyllfaoedd fel'na, mae rhywun yn canolbwyntio ar ei waith ac yn ceisio bod mor broffesiynol â phosib, ac mi ydach chi'n caledu. Ond wrth gwrs, mae'r emosiwn yn siŵr o'ch taro chi ymhen dipyn, ac ar adegau felly bydd fy meddwl yn troi at deulu'r ymadawedig. Roedd hwn yn un o'r digwyddiadau mawr cyntaf i mi ymwneud â fo, ac mi arhosodd efo fi am dipyn go lew.

Mi ddaeth 'na awyren Aer Lingus i lawr yng Nghwm Edno yn 1952 gan ladd pob un o'r 23 person oedd ar ei bwrdd, yn cynnwys rhai plant. Dwi ddim yn cofio'r digwyddiad fy hun, ond yn ôl yr adroddiadau roedd y mynydd ar dân. Roedd ffermwr lleol, William Hafod y Rhisg, yn un o'r rhai cyntaf yno ar ôl gweld fflach ar y mynydd. Dyna pryd y cafodd tîm achub y Llu Awyr eu strejiar achub cyntaf, y Strejiar Thomas, a gyflwynwyd iddyn nhw gan Aer Lingus fel arwydd o ddiolch. Rai blynyddoedd yn ddiweddarach codwyd cofeb syml o lechen yno i nodi'r drasiedi.

Dwi'n cofio damwain awyren arall, flynyddoedd wedyn, ar Tryfan y tro hwn. Dydi fanno ddim yn ein patsh ni yn Llanberis fel arfer, ond roeddan nhw'n meddwl ei bod hi wedi dod i lawr yn ardal yr Wyddfa, ac mi aeth Sam a finna i fyny efo hofrenydd y Llu Awyr i geisio dod o hyd iddi. Tra oeddan ni i fyny mi ddaeth 'na neges ar y radio i ddweud mai ar lethrau Tryfan yr oedd hi ac mi aethon ni yno. Ymunodd Brian Jones o Gapel Curig, warden

Darn o'r awyren ddaeth i lawr ar Tryfan, Sam efo'r radio ar y top.

Ogwen, â ni i helpu. Ni oedd y cyntaf yno fel mae'n digwydd, ond yn anffodus roedd y ddau berson oedd arni wedi eu lladd. Roedd yr awyren mewn lle anodd a pheryglus ac mi roeson ni raffau i'w dal hi yn ei lle nes i griw Ogwen gyrraedd a chymryd drosodd.

Roedd yr achubiad ar Lliwedd y soniais amdano yn un digon caled, ond yn fy nyddiau fel warden gwirfoddol i'r Parc y digwyddodd un o'r rhai caletaf i mi gymryd rhan ynddo erioed. Ar y diwrnod dan sylw roedd John Êl wedi bod yn achub dafad oedd yn sownd ar Dinas Bach. Roedd Sam Roberts, warden ar yr Wyddfa, Brian Jones oedd newydd ddechrau yn warden Ogwen, a finna efo fo. Gan ei bod hi'n bwrw eira'n drwm, dyma John yn dweud, 'Ew, mae'r tywydd yn ddrwg, 'sa'n well i ni feddwl mynd am adra, bois, neu mi fydd y lonydd wedi cau.' Ond fel yr oeddan ni'n cyrraedd y giât i'r lôn, mi gawson ni neges ar y radio: 'Mike Whisky Alpha: calling any mountain rescue station in the Llanberis area.' Pencadlys yr Heddlu ym Mae Colwyn oedd yn galw.

Roedd hi tua hanner dydd ar y pryd, a byrdwn y neges oedd bod dringwr wedi disgyn ar Grib Goch, felly dyma ni'n cychwyn i lawr i Ganolfan y Wardeniaid yn Nant Peris lle'r oedd y gêr yn cael ei gadw, ac aros am yr hofrenydd o'r Fali i godi John a Brian, y stwff cymorth cyntaf a sach anafiadau. Criw o dri oedd ar yr hofrenyddion cynnar – peilot, llywiwr a winshman, ac roeddan nhw'n gallu cario dau berson arall fel rheol, a mymryn o gêr, dyna i gyd. Doeddan nhw ddim yn ddigon pwerus i gario mwy na hynny. Mi aeth i fyny'n weddol uchel efo nhw, a dod yn ôl wedyn i godi Sam a finnau, a strejiar. Ond fel yr oeddan ni'n mynd i fyny'r cwm gwaethygai'r tywydd, ac wrth i ni hedfan i mewn i Gwm Beudy Mawr dywedodd y peilot wrthon ni dros y radio na fedra fo fynd â ni ddim pellach. Roedd hi'n rhy beryg. Gollyngodd yr hofrenydd ni yn fanno i wneud y gorau y medran ni. Mi allwch chi ddychmygu pa mor anodd oedd cario'r offer drwy eira gwlyb, dwfn. Dipyn o strygl. Doedd gynnon ni ddim syniad lle'r oeddan ni yn iawn. Roeddan ni'n gwybod ein bod ni rywle yng Nghwm Beudy Mawr, ond roedd hi'n amhosib dweud ble yn union.

'Lle ddiawl ydan ni?' gofynnais i Sam ymhen dipyn.

'*Dwi*'m yn gwbod, jest dalia i fynd i fyny!' oedd yr ateb ges i!

Mi aethon ni yn ein blaenau nes i ni weld ble oeddan ni – a lwcus ein bod ni wedi sylweddoli pan wnaethon ni, achos roeddan ni jest o dan Fwlch y Moch lle mae Llwybr Pyg a llwybr y Grib Goch yn cwrdd. Petaen ni wedi cario 'mlaen mi fasan ni wedi gwastio mwy o amser. Mi gafodd John a Brian y dringwr i lawr at Sam a finna ar waelod Grib Goch – dwi'n meddwl mai wedi torri ei goes oedd o – er ein bod ni at ein canolau mewn eira mewn mannau. Wedyn cyrhaeddodd gweddill y tîm. Fel roeddan ni'n dod i lawr Bwlch y Moch am Lyn Llydaw, roedd hi'n *white-out*, a bu bron iawn i Jesse James, a oedd yn arwain y ffordd, â methu'r cob ar y llyn a mynd ar ei ben i'r dŵr. Roedd yr achubiad wedi dechrau o gwmpas amser cinio, a doeddan ni ddim yn ôl ym Mhen-y-pàs tan 9.30 y nos. Diwrnod a hanner!

Ar ddiwrnod cyffredin mi fasach chi'n gwneud y daith honno yn ôl ac ymlaen mewn awr yn hawdd, ond y diwrnod hwnnw mi fu'n rhaid cael dau JCB ac aradr eira i glirio'r lôn i Ben-y-pàs er mwyn cael ambiwlans i fyny, sy'n dangos pa mor ddrwg oedd y tywydd.

Pennod 6

Clogwyn Coch

Dwi'n meddwl mai ar ôl trychineb ar Glogwyn Coch yr Wyddfa, pan fu farw tri bachgen ysgol, y dechreuwyd cael gwell trefn ar y gwasanaeth achub.

22 Chwefror 1972 oedd y dyddiad, ac roedd criw o 18 o fechgyn a phedwar athro o Goleg Dulwich, Llundain, yn cerdded ar yr Wyddfa. Roedd y tywydd yn ofnadwy, gyda niwl ac eira wedi rhewi dan draed. Mae'n debyg mai cerdded i lawr o Grib y Ddysgl i gyfeiriad llwybr Llanberis oeddan nhw pan lithrodd tri o'r bechgyn dros Glogwyn Coch i'w marwolaeth. Yn y cwest, nodwyd bod diffyg offer pwrpasol ar gyfer mynydda yn yr eira yn ffactor yn eu marwolaethau – doedd dim crampons ar eu hesgidiau a doedd ganddyn nhw ddim bwyelli rhew. Cymerodd Tîm Achub Llanberis, tîm y Llu Awyr o'r Fali a nifer o ddringwyr lleol – fi yn eu plith – ran yn y dasg o chwilio am y bechgyn a dychwelyd y cyrff.

Oherwydd natur y tir yn y fan honno mae rhai wedi rhoi'r enw Killer Convex ar y lle, oherwydd siâp y dirwedd ac am ei fod mor beryglus ar dywydd rhewllyd. Be sy'n digwydd yn aml ydi bod yr eira'n dadmer yn ystod y dydd ac yn rhewi eto yn y nos, nes bod yr wyneb yn galed, galed. Mae rhai cerddwyr yn gwneud y camgymeriad o geisio dilyn trac y lein bach yn hytrach na llwybr Llanberis yn y rhan yma, gan feddwl bod hynny'n saffach, ond mae'r lein yn mynd yn agos iawn at y dibyn mewn mannau ac mae'r rhew a'r eira'n gorchuddio'r trac, felly os digwydd i chi lithro, mae hi bron yn amhosib arbed eich hun yno, yn enwedig os nad oes gynnoch chi fwyell rew. Mae'n llecyn ofnadwy o beryglus ar adegau felly, ac mae sawl damwain debyg wedi digwydd yno dros y blynyddoedd a nifer wedi llithro i'w marwolaeth.

Roedd mis Chwefror 2009 yn gyfnod arbennig o drist yn hynny o beth. Mewn ychydig dros wythnos, bu farw pedwar cerddwr yno – dau ohonyn nhw'n frodyr – ar ôl llithro ar y rhew. Roedd dau gerddwr arall yn ffodus dros ben i ddianc gydag anafiadau drwg ar ôl llithro gannoedd o droedfeddi. Roedd 'na gyfnod digon tebyg yn 1951 – ymhell cyn fy amser i fel warden ac aelod o'r tîm achub. Ar ddydd Sadwrn y Pasg, 24 Mawrth, o fewn pum awr yn unig bu farw tri dyn, anafwyd merch ifanc yn ddifrifol a chafodd dau arall ddihangfa wyrthiol. Roedd dau o'r marwolaethau yn yr un fan yn union ger Clogwyn Coch, a'r trydydd ar Glogwyn y Garnedd. Roedd hyn cyn dyddiau'r tîm achub – yr heddlu a chriw o wirfoddolwyr dan arweiniad Chris Briggs achubodd y rhai oedd wedi brifo, a dod â chyrff y meirw oddi ar y mynydd.

Yn sgil trasiedi Coleg Dulwich, edrychwyd ar ffyrdd o wella'r gwasanaeth. Cafwyd cyfarfod rhwng gwahanol asiantaethau, ac un o'r casgliadau oedd y dylai'r heddlu canolog yng Nghaernarfon gysylltu efo heddlu Llanberis yn y lle cyntaf, ar ôl cael rhybudd o ddamwain, a'u bod hwythau wedyn yn galw'r tîm achub. Dyna oedd y drefn newydd i fod, oni bai bod yr alwad wedi mynd yn syth at yr heddlu yn Llanbêr, neu at un o'n haelodau ni. Ond yn y dyddiau cynnar, roedd y galwadau'n dal i fynd at Chris Briggs. Yn naturiol, efallai, pan oedd yr heddlu'n cael galwad roeddan nhw'n dal i feddwl ar y llinellau: 'Damwain ... Wyddfa ... Briggs ...' ac mi gymerodd ryw ddwy flynedd i bawb ddechrau arfer yn iawn efo'r system newydd ac i bethau ddechrau gweithio'n fwy effeithiol.

Roedd John Êl wedi bod yn aelod o Dîm Achub Mynydd Dyffryn Ogwen, ond roedd o'n un o sylfaenwyr Tîm Achub

Llanberis, ac roedd o'n gaffaeliad mawr, wrth gwrs. Ychydig cyn sefydlu'r tîm, aeth John i fyny i'r Alban i wneud ymchwil am achub mynydd, ac i siarad efo gŵr o'r enw Hamish MacInnes, oedd wedi gwneud llawer iawn o waith yn sefydlu Tîm Achub Glencoe a'r Cŵn Chwilio ac Achub.

Yn yr Alpau gwelodd Hamish achubwyr yn defnyddio cŵn i chwilio am bobol yn dilyn cwympiadau eira, a meddyliodd y gallai hynny weithio ym Mhrydain hefyd, i ddod o hyd i bobl oedd ar goll yn y mynyddoedd. Aeth ati'n syth i sefydlu tîm o gŵn achub, ac ymhen ychydig wedyn, yn 1965, roedd o wedi sefydlu SARDA (Search and Rescue Dog Association). Roedd o'n cynnal cyrsiau i hyfforddi eraill i ddefnyddio cŵn yn y mynyddoedd, ac aeth John Êl i fyny i un ohonynt, ar ei liwt ei hun. Mi brofodd hynny'n fendithiol iawn i'r gwasanaeth achub yng ngogledd Cymru. Roedd un o eist Hamish wedi cael cŵn bach ac mi roddodd o un o'r rhain – ci o'r enw Bonn – i John, a hwn oedd y ci cyntaf i gael ei ddefnyddio i chwilio am berson mewn trafferthion yn Eryri. Roedd cŵn achub yn cael eu dosbarthu'n dri categori yn ôl eu gallu a'u profiad – A am gi dibrofiad, B am gi mwy profiadol, ac C am gi a oedd wedi llwyddo i ddod o hyd i berson mewn achubiad go-iawn. Roedd Bonn yn radd C, a fo oedd y ci cyntaf yn Eryri i dderbyn y raddfa honno yn dilyn achubiad yn 1967 – y cyntaf i John ei wneud efo ci. Mae'n stori anhygoel, ac yn

John Êl a'i gŵn.

dangos pa mor effeithiol y gall cŵn fod pan fo popeth arall wedi methu.

Roedd dynes leol o Garndolbenmaen wedi bod ar goll o'i chartref ers pedwar diwrnod. Yn rhyfeddol, roedd timau achub mynydd, aelodau o'r heddlu, tua 100 o bobol leol a hofrenydd y Llu Awyr wedi bod yn chwilio amdani, ond heb ddod o hyd iddi. Roedd pethau'n edrych yn bur dywyll, ond o fewn cwta ddwyawr o chwilio, llwyddodd Bonn a John Êl i ddod o hyd iddi yn yr ucheldir gwyllt rhwng Garndolbenmaen a Nebo, tua phedair milltir o'i chartref. Roedd hi'n dioddef o effeithiau'r oerfel a diffyg bwyd, ond roedd hi wedi llwyddo i oroesi drwy yfed dŵr o nentydd a phyllau. Dwi ddim yn siŵr o'r cefndir – sut na fedrodd hi ffeindio'i ffordd ei hun adref, a pham y cafodd yr arbenigwyr gymaint o drafferth dod o hyd iddi – ond o hynny ymlaen mi ddaeth yr arfer o ddefnyddio cŵn mewn achubiadau yn ddigon cyffredin yn Eryri. Mae cŵn yn gallu arbed llawer iawn o amser wrth chwilio am rywun, ac fel y ffôn symudol erbyn heddiw, mae'n anodd dychmygu sut oeddan ni'n ymdopi hebddyn nhw. Maen nhw'n rhan hanfodol o'r gwasanaeth achub mynydd.

Pennod 7

At ein gyddfau mewn dŵr

Mae'r Wyddfa yn denu ymwelwyr yn eu miloedd, ac maen nhw'n dod yma o bob rhan o'r byd. Mae dros 500,000 yn cerdded i fyny'r mynydd bob blwyddyn. Ond mae tua 120,000 yn mynd i fyny ar y trên hefyd, sydd ond yn rhedeg rhwng canol mis Mawrth a chanol Hydref fel rheol. O ganlyniad, mae gweld pobol yn ciwio i gael cyfle i sefyll ar y copa ei hun yn olygfa gyffredin iawn erbyn hyn. Mae 'na broblemau parcio yn y Pàs yn aml hefyd, ac fel y gwelwch o'r lluniau, mae hynny'n digwydd ers blynyddoedd. Efo'r fath niferoedd, mae'r cynnydd mewn damweiniau wedi bod yn aruthrol, ac yn anorfod.

Nid peth newydd ydi cael tocyn parcio ym Mhen-y-pàs!

Pan ddechreuais i, roedd y tîm yn delio efo tua 40 o ddigwyddiadau y flwyddyn, ond erbyn heddiw, maen nhw'n cael dros 200 o alwadau, a Llanberis ydi'r tîm achub mynydd prysuraf yng ngwledydd Prydain, yn gyfrifol am ardal eang sy'n cynnwys yr Wyddfa, Lliwedd, Carnedd Ugain a Chrib y Ddysgl (y copa ydi Carnedd Ugain, a'r grib y mae'n rhan ohono ydi Crib y Ddysgl), Crib Goch, yr Aran a chrib Moel Eilio, yn ogystal â llethrau deheuol y Glyderau. Mae angen pwysleisio mai gwirfoddolwyr sy'n cynnal pob tîm achub mynydd yn y wlad, ac nad ydyn nhw'n cael llawer o gymorth ariannol fel y cyfryw gan y llywodraeth. Elusennau ydyn nhw sy'n gorfod eu hariannu eu hunain, a chodi pres i brynu offer a chynnal a chadw eu canolfannau. Mae rhywfaint o bres yn dod gan yr heddlu am mai gweithredu ar eu rhan nhw y mae'r timau achub. Yr heddlu sy'n talu am yswiriant yr aelodau, ac yn rhoi setiau radio i'r timau, er enghraifft. Mae Achub Mynydd Cymru a Lloegr yn cyflenwi rhywfaint o offer – yn yr hen ddyddiau, fel y soniais,

Problem parcio Pen-y-pàs yn y 70au a'r 80au.

dim ond strejiar, sach anafiadau ac offer cymorth cyntaf oeddan ni'n gael, ac ella bod rhai timau arbennig yn cael ambell raff! Roedd y tîm yn gorfod prynu popeth arall allan o'u pres eu hunain, ac roedd yn rhaid codi pob ceiniog o hwnnw. Mae teuluoedd rhai sydd wedi cael eu hachub neu sydd wedi colli rhywun yn aml iawn yn cyfrannu. Mae casgliadau mewn angladdau yn hael iawn hefyd, ac mae amryw yn gadael arian i'r timau yn eu hewyllys. Mae'r tîm yn cynnal digwyddiadau codi arian, fel nifer o elusennau eraill, ac maen nhw'n mynd o gwmpas digwyddiadau efo bwced i hel cyfraniadau. Maen nhw'n ei wneud o ar dop yr Wyddfa weithiau, ond dwi yn erbyn hynna. Dwi ddim yn meddwl y dylen nhw fod yn dal bwcedi o dan drwynau pobol yn fanno. Os ydi pobol wirioneddol isio cyfrannu, mi wnawn nhw ... ond fy marn bersonol i ydi hynna.

Mae'n anodd iawn rhoi cost ar achubiad gan fod pob un yn wahanol, pob un â'i amgylchiadau unigryw ei hun.

Gwirfoddolwyr ydi aelodau'r tîm, ond petaen nhw'n cael cyflog o £15 yr awr, ddywedan ni, mi fyddai'n costio £250,000 y flwyddyn mewn llafur yn unig. Dydi hynny ddim yn cynnwys costau hyfforddi, gweinyddu na chynnal a chadw. Mae'n costio degau o filoedd i gyflenwi a chynnal pencadlys tîm achub – £70,000 yn achos tîm Llanberis. Ar ben hyn oll, mae cerbydau newydd yn gallu costio tua £60,000 y flwyddyn. Ers talwm, roeddan ni'n amcangyfrif bod defnyddio hofrenydd yn costio tua £3,000 yr awr. Dwi ddim yn siŵr os oedd y ffigwr hwnnw'n un swyddogol ar y pryd, ac mae'n anodd cael gafael ar yr wybodaeth, ond dyna oedd y ffigwr yr oedd pawb yn ei ddefnyddio pan oeddwn i'n aelod o'r tîm ac yn gweithio i'r Parc. Mi faswn i'n tybio ei fod yn reit agos i'w le, ac os felly, gallwch fentro ei fod yn costio dipyn mwy erbyn heddiw. Tan iddo fynd yn breifat ym mis Gorffennaf 2015, y Llu Awyr oedd yn gyfrifol am y gwasanaeth Chwilio ac Achub, ac roeddan nhw'n nodi pob achubiad fel *'routine training flight'*. Roeddan nhw'n gorfod

Whirlwind Mk10 ar Ben-y-pàs yn y 70au.

hyfforddi ac ymarfer yn y mynyddoedd p'run bynnag, ac roedd achubiad go iawn yn llawer gwell ar gyfer dysgu na rhyw ymarfer diniwed. Dwi ddim yn gwybod sut mae pethau'n gweithio efo'r cwmni preifat sy'n rhedeg y gwasanaeth y dyddiau yma.

Mae'r cyfryngau'n cyflwyno adroddiadau ar ôl pob digwyddiad mawr, ac mae'r cyhoedd yn ymateb: 'Nadwch y ffyliaid rhag mynd ar y mynydd ... codwch dâl am eu hachub ... gorfodwch nhw i gael yswiriant ... rhowch ganllaw ar draws Clogwyn Coch' ac yn y blaen. Ond fel y byddai Sam yn dweud yn aml, 'mae'r mynyddoedd yn niwtral, y bobol sy'n eu dringo nhw sy'n beryg.'

Mae 'na rai yn dweud y dylai pobol sy'n cael eu hachub orfod talu am y gwasanaeth, fel sy'n digwydd yn yr Alpau a llefydd eraill, ond dwi ddim yn cytuno efo hynny. Dwi wedi clywed am sawl achos yn yr Alpau lle mae pobol yn camddefnyddio'r gwasanaeth achub a'r system yswiriant. Er enghraifft, dywedwch bod rhywun yn mynd allan i ddringo, ac ar ôl dipyn, mae'n teimlo wedi blino'n ofnadwy. Mae'n dweud 'O, mae gen i insiwrans, mi ffonia i am hofrenydd, dwi wedi talu amdani.' Mae hynna'n digwydd yn aml yn yr Alpau rŵan, coeliwch neu beidio!

Mae rhai timau yn talu pres petrol a chostau eraill i'w haelodau, neu'n rhoi dillad pwrpasol iddyn nhw. Doedd Llanberis ddim yn gwneud hynny yn fy nyddiau i, ond roeddan nhw'n talu am unrhyw gêr personol oedd yn cael ei falu neu ei golli ar joban. Os oeddach chi'n colli diwrnod o waith, wel, eich anlwc chi oedd hynny. Doedd y tîm ddim yn eich digolledu, ond roedd y Parc yn dda iawn efo ni yn hynny o beth.

Mae 'na tua 40 i 50 o aelodau yn nhîm Llanberis heddiw, o'i gymharu â 15 neu 20 yn y dyddiau cynnar. Dwi ddim yn meddwl bod 'na ferched ar y tîm ar y dechrau, ond yn raddol mi ddaeth mwy a mwy ohonyn nhw'n aelodau. Ond er bod mwy o wirfoddolwyr, y broblem fawr y dyddiau yma ydi cael criw at ei gilydd i ateb galwad, yn enwedig yn ystod y dydd. Mae lot o'r aelodau yn gweithio iddyn nhw'u hunain, yn y diwydiant mynydda ac awyr agored – be mae'r rheiny i fod i'w wneud os ydyn nhw allan ar y mynydd yn hyfforddi criw o bobol? Fedran nhw ddim anwybyddu eu cyfrifoldeb am y bobol hynny a'u gadael er mwyn ateb yr alwad, na fedran? Dwi wedi sylwi'n ddiweddar bod Llanberis yn cael cymorth gan dîm Aberglaslyn a thîm y Llu Awyr yn aml iawn i leddfu'r broblem honno, a weithiau Dyffryn Ogwen hefyd.

Cyfrifoldeb yr Heddlu ydi ymateb i unrhyw ddamwain, boed hynny ar fynydd neu ddim. Gweithredu ar eu rhan nhw mae timau achub mynydd. Tydi pawb ddim yn ymwybodol o hyn, ac yn gwneud camgymeriad drwy ofyn am y gwasanaeth ambiwlans pan ddylan nhw fod yn galw am yr heddlu yn y lle cyntaf. Mae'r criw ambiwlans wedyn yn cyrraedd ac yn dweud

Y tro cyntaf erioed i strejiar Thomas gael ei winsho i hofrenydd Whirlwind yn Chwefror 1975. Mae John Ellis Roberts a John Jackson ymysg yr achubwyr.

bod angen y tîm achub mynydd, ac yn anffodus mae amser gwerthfawr yn cael ei wastraffu. Felly dwi wastad wedi ceisio pwysleisio'r pwynt yma i bobol – os ydach chi wedi cael damwain ar y mynydd ffoniwch yr heddlu yn gynta, a gofynnwch am y gwasanaeth achub mynydd. Gwnewch yn siŵr eich bod yn gofyn am Heddlu Gogledd Cymru, wedyn y tîm achub. Y rheswm am hynny ydi y gall galwad 999 o ffôn symudol gael ei chodi gan unrhyw fast ffôn yn y wlad, yn ddibynnol ar gryfder y signal, ac mae 'na achosion wedi bod o alwadau'n cael eu hateb yn Iwerddon. Felly, er mwyn gwneud pethau'n haws i'r sawl sy'n ateb yr alwad ac i'r tîm achub, mae'n bwysig esbonio mai Heddlu Gogledd Cymru ydach chi isio.

Cydlynydd y tîm achub sy'n derbyn yr alwad gyntaf gan yr heddlu erbyn hyn, yn eu hysbysu bod angen eu cymorth. Yna mae'r cydlynydd yn cysylltu efo'r aelodau i gael criw at ei gilydd ac yn galw'r hofrenydd os oes angen. (Dylwn egluro nad ydi'r hofrenydd yn codi aelodau o'r tîm bob tro y mae'n cael ei galw allan – weithiau maen nhw'n cael cyfarwyddiadau gan y person sy'n cydlynu'r chwilio i fynd i roi cip sydyn ar lecyn neu ardal arbennig. Wedyn mae'r timau sy'n chwilio ar lawr gwlad yn gallu diystyru'r llecyn hwnnw i bob pwrpas.) Os ydi hi'n bosib gwneud hynny, mae o hefyd yn cysylltu efo'r person sydd mewn trafferth neu'r sawl wnaeth alw'r heddlu. Pe na bai hynny'n bosib, mae hi'n fater o orfod chwilio amdano fo neu hi. Yn aml iawn dydi'r person mewn trafferth ddim yn gwybod yn union lle maen nhw, ac maen nhw ofn. Felly mae angen bod yn amyneddgar, ond weithiau mae'r amynedd yn cael ei drethu i'r eithaf. Mae'r sgwrs yn gallu mynd rywbeth fel hyn:

'Do you know where you are? Are you on a path?'

'We don't know. We're on steep ground ...'

Diolch yn fawr, mae hynna'n disgrifio'r rhan fwyaf o Eryri!

'Can you see anyone? If you can, shout out and ask them where you are.'

Ella bod y rheiny'n dweud eu bod nhw ar lwybr Llanberis, a'r ateb syml wedyn ydi dweud wrthyn nhw am ddilyn y llwybr i lawr y mynydd. Roedd Tom Tomos, un o fy nghyd-aelodau ar y tîm, yn f'atgoffa'n ddiweddar o'r sgwrs ganlynol a glywodd o ryw dro:

Fi (yn amlwg wedi cael diwrnod caled): 'Are you on a path?'

Cerddwr ar goll: 'Yes.'

Fi: 'Does one way go up, and the opposite way go down?'

Cerddwr ar goll: 'Yes.'

Fi: 'Well take the one going down then, and you'll be fine!'

Atgoffwyd fi gan Sam o'r stori ganlynol hefyd, am alwad ffôn a ddaeth i Ben-y-pàs yn hwyr un prynhawn.

'I'm lost, it's misty, windy and raining, but don't worry, I'm in a bivvy bag, warm and reasonably comfortable,' meddai'r boi 'ma. 'Will you please come and rescue me. My position is ...' a dyma fo'n rhoi cyfeirnod grid 10-rhif i ni. Roedden ni'n gallu rhoi bys ar y map a phwyntio allan yn union ble oedd o. Cafodd yr ateb canlynol ganddon ni:

'Get out of your sleeping bag, walk downhill for 15 minutes. At the river, turn right, and when you get to the bridge, cross it and you will see the main road.'

'Oh, are you not coming to rescue me then?' gofynnodd.

Dyna be oedd CDD (gweler tudalen 59) go iawn!

Ychydig flynyddoedd yn ôl dechreuwyd gosod cyfeirnodau grid OS ar gatiau neu gamfeydd, wedyn roedd pobol yn medru dweud wrth y warden neu'r tîm achub yn union lle'r oeddan nhw.

Dwi'n credu'n gryf mai ar y ffordd i lawr y mynydd y mae'r rhan fwyaf o ddamweiniau'n digwydd. Dydi hynny ddim yn wir bob amser, mae'n siŵr, ond yn aml iawn mae pobol wedi blino wrth ddod i lawr, a dydyn nhw ddim yn canolbwyntio yr un fath. Efallai fod y tywydd wedi troi, neu ei bod hi wedi dechrau nosi neu oeri, neu efallai eu bod nhw angen dal bws i fynd at eu car. Mae hyn oll yn ychwanegu at y perygl.

Roedd 'na lawer mwy o ddringo yn mynd ymlaen ym Mwlch Llanberis yn nyddiau cynnar y tîm achub. Roedd y Pàs yn berwi efo dringwyr ar bob clogwyn, bron. Mae'n werth nodi'r gwahaniaeth rhwng cerdded mynyddoedd, mynydda a dringo. Mae'r cyntaf yn syml ac yn golygu'n union beth y mae'n ei ddisgrifio, sef cerdded ar fynydd. Mae'r ail yn golygu rhywbeth fymryn yn fwy corfforol a heriol, efallai, gyda chydig o sgrialu yn ogystal â cherdded. Ac mae'r trydydd yn golygu rhywbeth mwy heriol fyth, sef dringo creigiau a chlogwyni efo (neu heb) raff. Mae 'na lawer llai o ddamweiniau dringo heddiw nag oedd yn y dyddiau cynnar, ac mae 'na ddau brif rheswm am hynny: yn un peth, mae'r offer yn llawer gwell heddiw, ac yn ail, mae mwy a mwy o ddringwyr yn dewis dringo clogfeini – sef creigiau mawr – yn hytrach na chlogwyni. *Bouldering* ydi'r term Saesneg arno, ac mae'n boblogaidd iawn yn Eryri erbyn hyn. Mae'n bosib mai'r rheswm am hynny ydi bod mwy o waliau dringo (tu mewn) ar gael heddiw, a bod dringwyr yn fwy cartrefol ar ddringfeydd llai. Dwi ddim yn gwybod yn bendant os mai dyma'r rheswm, ond fel hyn dwi'n ei gweld hi: ers talwm pan oeddech chi'n dysgu dringo, roeddech chi'n gwneud dringfeydd hawdd ar glogwyni mawr, felly roeddach chi'n cynefino efo'r amgylchedd a'r lleoliadau. Heddiw maen nhw'n fwy tueddol o ddysgu wrth ddringo waliau, ac maen nhw'n dychryn chydig bach pan maen nhw'n wynebu clogwyn mawr.

Dwi ddim yn cofio faint o ddigwyddiadau dwi wedi cymryd rhan ynddyn nhw dros y blynyddoedd, ond fel aelod o'r tîm achub ac fel warden efo'r Parc Cenedlaethol mae o'n gannoedd, mae hynny'n saff. Maen nhw hefyd yn amrywio o'r doniol i'r dwys, gydag ambell un sy'n aros yn y cof ac yn gadael eu marc arnoch chi am byth.

Dwi'n cofio i ni gael ein galw i ddigwyddiad ger Clogwyn y

Garnedd, pan oedd cob Llyn Llydaw dan ddŵr. Mi glywch chi fwy am hynny yn nes ymlaen, ond mis Ionawr 1973 oedd yr achlysur hwn, ac roedd hi'n rhewi'n gorn. Roedd dyn wedi syrthio 300 troedfedd, a'i fab wedi mynd i lawr i Ben-y-pàs i chwilio am help. Roedd o wedi brifo, ond yn dal yn ymwybodol ac roeddan ni'n gwybod ble oedd o (ac y byddai'n anodd ei gael o oddi yno), felly cafodd timau achub Ogwen a'r Llu Awyr eu galw i roi cymorth i dîm Llanberis.

Roedd y tîm newydd dderbyn poenladdwr newydd o'r enw Voltarol fel rhan o'r cit cymorth cyntaf, a oedd yn dod mewn ffiol fechan wydr oedd â nodwydd er mwyn ei roi'n syth i'r claf. Roeddan nhw'n gyfleus iawn a dweud y gwir. Ond wrth geisio rhoi'r stwff 'ma i'r dyn, mi dorrodd y ffiol wydr yn nwylo John am ei bod hi mor oer y noson honno. Mi estynnodd un arall, ac roedd y claf yn ceisio cilio oddi wrtho mewn rhigol yn y graig, er ei fod wedi torri ei goes.

Dod â chorff o Gwm Glas yn haf 1987. Hugh Walton sydd ar y rhaff.

Roedd John yn meddwl bod y dyn yn ofnus ar ôl gweld y ffiol yn torri, ac meddai, 'Don't worry, it won't hurt,' i drio'i gysuro fo.

Ond erbyn deall, nid ofni'r nodwydd oedd o. Fel un o Dystion Jehovah, roedd derbyn pigiad yn erbyn ei gredoau. Dydyn nhw ddim yn derbyn trallwysiad gwaed chwaith. Digon teg, pawb at y peth y bo, a chwarae teg, wnaeth o ddim cwyno'n ormodol pan ddaeth hi'n amser ei ollwng 300 troedfedd i lawr y clogwyn ar y strejiar at lle mae Llwybr y Mwynwyr a Llwybr Pyg yn cyfarfod.

Mewn achosion felly, mae'r strejiar yn cael ei glymu efo dwy raff, un bob ochr i'r ffrâm, ac mae aelod o'r tîm, sy'n sownd wrth drydedd rhaff, yn mynd i lawr efo fo. Mae o'n abseilio i lawr efo'r strejiar ac yn gweiddi gorchmynion i'r criw sy'n ei ollwng. Mae un o'r rheiny fel arfer yn sefyll ar ymyl y clogwyn yn trosglwyddo'r cyfarwyddiadau i'r gweddill. Os ddaw'r person efo'r strejiar ar draws unrhyw rwystrau neu lefydd anodd, mi all o ddweud wrthyn nhw am arafu, stopio, neu beth bynnag sydd ei angen. Mae'r sawl sydd efo'r strejiar hefyd yn gallu dringo i ddatrys unrhyw drafferthion, am fod ganddo ei raff ei hun. Mae 'na declyn arbennig – Ffigwr 8 – sy'n ddefnyddiol iawn ar gyfer gollwng eich hun i lawr clogwyn, neu ollwng strejiar neu rywbeth felly. Teclyn metal ydi o, efo un twll mawr ac un twll bach, yn union fel ffigwr wyth. Mae'r rhaff yn mynd drwyddo mewn ffordd sy'n galluogi'r dringwr i reoli ei ddisgyniad. Roeddan ni'n cael offer fel hyn yn rhad gan gwmni dyn oedd yn eu gwneud nhw'n lleol – Denny Moorhouse o Ddeiniolen, a oedd yn aelod o'r tîm achub, yn ddringwr profiadol ac yn un da ar y mynydd. Sefydlodd gwmni yn Neiniolen yn yr 1960au i wneud offer mynydda – Clogwyn Climbing Gear. Symudodd i weithdy yng Nghlwt-y-bont wedyn, a newidiodd yr enw i Denny Moorhouse Mountaineering, neu DMM. Mae'r cwmni'n dal i fynd, yn Llanberis erbyn hyn, ac yn dal i gario'r un enw, ond dydi Denny ddim yn rhan ohono mwyach. Ond mae o'n dal i wneud offer diogelwch mewn ffatri ym Mangor.

John Êl oedd y mwyaf profiadol felly fo fyddai'n hebrwng strejiars i lawr fel arfer, a fo aeth i lawr efo'r claf y tro hwn hefyd. Roedd dau aelod o dîm Ogwen – Richard Alwyn Jones neu RAJ fel roedd o'n cael ei alw, a Clive Hughes – wedi gosod rhaffau yn ganllaw ar y cob dros Lyn Llydaw am ei fod dan ddŵr. Roedd hyn yn digwydd yn aml, ac yn 1976 penderfynwyd bod angen codi lefel y cob. Ond y diwrnod hwnnw, doedd ganddon ni ddim dewis ond cario'r strejiar ar ein hysgwyddau achos, heb air o gelwydd, roedd y dŵr bron iawn at ein gyddfau.

Wna i byth anghofio'r offer diogelwch anghonfensiynol oedd gan RAJ. Doedd o ddim yn gallu nofio, felly roedd o wedi stwffio clustog aer o dan ei siwmper – y math o beth mae plant yn ei ddefnyddio i ddysgu nofio. Bosib bod hwnnw wedi helpu i'w gadw fo'n gynnes hefyd, achos mi oedd hi'n ddiawledig o oer. Roedd hi'n dywyll erbyn hyn hefyd, wrth gwrs, ac mi fuasai wedi bod yn amhosib croesi oni bai am help un dyn. Roedd John Lawson-Reay o Landudno yn ffotograffydd a dyn camera ar ei liwt ei hun, ac roedd yn aml yn gwneud gwaith i'r BBC. Roedd gan John radio tonfedd fer, a byddai'n gwrando ar donfedd y gwasanaethau achub rhag ofn bod 'na ddefnydd stori iddo fo. Am ei fod yn gwneud gwaith camera roedd ganddo lampau cryf ofnadwy, a fo oleuodd y cob i ni. Mi gawson ni'r claf i'r ambiwlans yn saff yn y diwedd, ond cyn i mi droi rownd roedd y lorïau a'r cerbydau eraill wedi llenwi ac wedi mynd, felly bu'n rhaid i griw bychan ohonon ni gerdded i lawr i Ben-y-pàs. Fel y gallwch ddychmygu, roedd ein dillad wedi rhewi amdanon ni erbyn i ni gyrraedd! Mi gymerodd yr achubiad tua chwe awr os dwi'n cofio'n iawn, a dwi'n dal i deimlo ias y dŵr oer 'na!

Pennod 8

CDDs a TC

Yn wahanol i ddyddiau fy hen-daid, Moses Williams, a'i debyg – cymeriadau oedd yn ennill eu bywoliaeth yn tywys ymwelwyr i'r llefydd gwyllt – mi ydan ni'r Cymry wedi tueddu i fod yn y cefndir braidd yn y busnes mynydda 'ma. Saeson ydi'r rhan fwyaf o aelodau'r timau achub, ac maen nhw yn y mwyafrif ymhlith staff y canolfannau awyr agored, hostelau ac yn y blaen. Mae hi wedi bod felly ers yr 1950au a'r 1960au. Dwi ddim yn siŵr pam, ond mae hi felly i raddau mewn meysydd eraill hefyd, wrth gwrs. Mae'n debyg ein bod ni'n dal yn y lleiafrif heddiw, ond mae'n wir i ddweud bod y sefyllfa wedi dechrau newid yn y blynyddoedd diweddar, efo mwy a mwy o Gymry ifanc yn gweithio yn y diwydiant, a'r iaith Gymraeg i'w chlywed yn fwy amlwg ar y mynyddoedd. Mi oeddach chi'n medru rhegi yn Gymraeg ers talwm heb ofni y byddai rhywun yn deall, ond mae'n rhaid i chi watsiad be dach chi'n ddweud rŵan. Enwau Saesneg sydd ar nifer o'r dringfeydd mwyaf poblogaidd hefyd. Mwy am hynny ym Mhennod 21.

Ond dwi wedi bod yn dyst i ambell ymadrodd Cymraeg yn cael fabwysiadu gan Saeson ymhlith y tîm achub hefyd, credwch neu beidio. Yn yr hen ddyddiau roedd pob achubiad yn achubiad angenrheidiol. Hynny ydi, doedd tîm achub ond yn cael ei alw allan os oedd gwir angen eu cymorth. Roedd hi'n draddodiad gan fynyddwyr i edrych ar ôl eu hunain ar y mynydd, felly os oedd un ohonyn nhw wedi brifo, roedd ei gyfeillion yn dod â fo neu hi i lawr. Roedd hyn yn caniatáu i'r timau ganolbwyntio ar helpu pobol oedd wirioneddol angen help. Dydi hi ddim yn egwyddor sy'n cael ei dilyn gan bawb y dyddiau yma. Wrth i'r mynyddoedd fynd yn fwyfwy poblogaidd mi newidiodd hynny'n raddol, a heddiw mae pobol yn rhy barod i alw'r gwasanaethau brys pan nad oes eu hangen mewn gwirionedd. Yn aml iawn yn fy nyddiau mwya diweddar yn aelod o'r tîm, roeddan ni'n mynd i fyny ac yn ffeindio y gallai'r person oedd mewn trafferth fod wedi cerdded i lawr ei hun, ac ar adegau felly roeddech chi'n debygol o glywed rhywun yn cysylltu ar y radio efo'r pencadlys ac yn dweud:

'Situation CDD.'

Hynny ydi, bod popeth yn iawn, ac mai CDD oedd yr unig beth oedd ei angen ar y person, sef Cic Dan Din.

Mi ddaeth CDD yn rhan o iaith bob dydd y tîm achub a wardeniaid y Parc, ac roedd 'na un arall oedd yn cael defnydd helaeth gynnon ni, sef TC – Tywydd Cachu.

Llusgo strejiar ar yr eira ym Mwlch Glas, Llwybr Llanberis ar noswyl Calan 1996.

Pen-y-pàs: 'Sut mae pethau tua'r topia 'na Còch?'

'TC. Dim llawer o neb o gwmpas ...'

Un arall, er nad ydi o'n Gymraeg, oedd ABC am All Being Changed – ymadrodd oedd yn ddefnyddiol mewn pob math o sefyllfaoedd.

Mae 'na reswm da dros ddefnyddio talfyriadau fel hyn. Pan dach chi'n siarad ar y radio mae'n rhaid gwneud eich negeseuon mor fyr â phosib oherwydd rydach chi'n defnyddio'r batri. Mae rhywun yn gorfod meddwl cyn darlledu, er mwyn peidio gwastraffu geiriau nac amser. Mae darlledu neges yn defnyddio llawer mwy ar y batri na derbyn neges, felly mae'n rhaid i chi fod yn fyr ac yn gryno. Roedd hynny'n arbennig o wir am yr hen setiau radio, ond mae'r arferiad wedi parhau er bod 'na well batris ar rai modern.

Roedd yr iaith Gymraeg yn ddefnyddiol mewn ffordd ymarferol mewn rhai achosion hefyd. Cyn i'r tîm achub gael y ganolfan wardeniaid yn Nant Peris, roedd hofrenyddion yn gorfod defnyddio cae pêl-droed Llanberis fel lle i lanio pan oedd angen codi aelodau o'r tîm, neu i ddod â rhywun i lawr. Os oedd rhywun wedi marw roeddan ni'n darlledu yn Gymraeg, rhag i aelodau o'r teulu glywed – os nad oeddan nhw'n Gymry Cymraeg, wrth gwrs:

'Stand by for Welsh transmission ... Mae'r person wedi marw. Cadarnhau, mae'r person wedi marw.'

Ond y drwg oedd, roedd plant Llanberis yn clywed hyn ar radio'r Land Rover oedd ar y cae pêl-droed yn disgwyl yr hofrenydd, wedyn roeddan nhw'n mynd o gwmpas yn dweud wrth bawb, 'Mae'r co 'di marw, mae'r co 'di marw!'

Wnâi hynny mo'r tro, felly mi ddechreuon ni ddefnyddio côd. Roedd 'na fusnes trefnwyr angladdau yn Central Garage, Llanbêr, felly os oedd gynnon ni gorff ar yr hofrenydd y côd oedd 'Charlie George' am 'CG, Central Garage'. Doedd y plantos ddim yn dallt hynny, felly roedd o'n gweithio'n iawn.

Gollwng corff oddi ar Grib y Ddysgl
ar strejiar MacInnes bach yn yr 80au hwyr.

Ymhen amser adeiladwyd man glanio i hofrenyddion ym Mhen-y-pàs, ac yn ogystal, mi gawson ni ganiatâd gan y ffermwr, Meirion Pritchard, Tŷ Isa, i ddefnyddio un o'i gaeau dros y ffordd i'r ganolfan yn Nant Peris i lanio'r hofrenydd.

Mae'n deg dweud bod nifer o'r miloedd sy'n ymweld ag Eryri bob blwyddyn yn dod o drefi a dinasoedd mawrion, a bod canran dda yn ddibrofiad yn y mynyddoedd. Maen nhw allan o'u cynefin yn llwyr, ac o bosib heb yr offer a'r dillad iawn ar gyfer y sefyllfa. Mi faswn i'n dweud bod wyth o bob deg cerddwr sy'n mynd i fyny'r Wyddfa heb fap, heb sôn am gwmpawd.

Mae'r rhan fwya o lwybrau'r Wyddfa'n weddol amlwg, ond mewn cwmwl neu niwl mae hi'n dal yn bosib mynd ar goll. O Ben-y-pàs mae 'na lot yn gwneud camgymeriad ac yn cael eu hunain ar y Grib Goch, sy'n lle peryglus i'r dibrofiad. Dwi wedi clywed yr un peth gan lawer iawn o bobol sydd wedi cymryd y llwybr anghywir hwnnw ac wedi mynd i drafferthion.

Fi: 'Pam wnaethoch chi ddilyn y llwybr yma?'

Ateb: 'Am bod y rhai o 'mlaen i'n mynd y ffordd yna.'

Peidiwch â dilyn y person o'ch blaen chi, achos ella nad ydi o'n mynd i'r un lle â chi. Rheol syml arall i'w chofio.

Dwi wedi gweld sefyllfa fel hon droeon hefyd: mae 'na griw o gerddwyr (dibrofiad fel arfer) yn mynd i fyny'r Wyddfa; mae'r tywydd yn troi, mae'n dechrau bwrw glaw neu oeri neu efallai bod y niwl yn dod i lawr; mae 'na rwbath bach yn digwydd i un ohonyn nhw – troi ffêr efallai – ac maen nhw'n panicio'n llwyr ac yn galw'r heddlu oherwydd nad ydyn nhw'n gwybod sut i ymateb i'r sefyllfa. Efo mymryn o ymdrech, gellid osgoi galw'r tîm achub mewn nifer helaeth o achosion, gan adael iddyn nhw ganolbwyntio ar ddigwyddiadau mwy difrifol lle mae angen eu help o ddifri.

Wrth gwrs, os ydi rhywun yn amlwg wedi brifo go iawn, mae hi'n stori wahanol, ond mae 'na gymaint o CDDs ar y mynydd y dyddiau yma. Yr unig beth maen nhw isio yn y bôn ydi rhywun i afael yn eu llaw. Naw gwaith allan o ddeg mi fasa'r person mewn trafferth wedi medru datrys y sefyllfa'n ddigon rhwydd ar ei liwt ei hun. Unwaith maen nhw allan o'r niwl, neu beth bynnag, maen nhw'n hollol iawn fel arfer. Ond weithia maen nhw'n galw am gymorth, a phan mae'r cwmwl yn codi, maen nhw'n mynd ar eu ffordd unwaith eto heb feddwl hysbysu'r tîm fod popeth yn iawn. Neu maen nhw'n ffonio i ddweud eu bod nhw wedi brifo, ond yn gwella'n rhyfeddol o sydyn unwaith y mae hi'n dechrau oeri, ac yn gwneud eu ffordd i lawr heb ddweud wrthon ni. Mewn achosion felly mi fedran ni fod yn gwastraffu amser yn chwilio'n ofer am rywun sydd bellach yn saff ar ei ffordd yn ôl i lawr. Mae'n bosib bod ein haelodau ni wedi eu pasio nhw, hyd yn oed. Mae'n gwylltio rhywun braidd pan dach chi'n eu ffonio nhw wedyn i holi lle maen nhw, a'u clywed nhw'n dweud: 'Oh, we're in the pub now, mate, cheers!'

Mae 'na un stori o ddiwedd yr 1980au yn dangos faint o

drafferth mae hyn yn gallu'i greu i'r timau achub a'r gwasanaethau brys. Roedd 'na hogyn 17 oed o Coventry yn aros mewn gwesty yn Llanberis, a'i fwriad oedd cerdded i fyny'r Wyddfa. Mis Ebrill oedd hi, ac roedd 'na dipyn o eira'n dal i fod dan draed ar y mynydd. Wrth iddo fo adael y gwesty yn y bore, mi awgrymodd aelod o'r staff yn garedig iddo nad oedd ei ddillad yn addas ar gyfer y llethrau efo'r rheiny'n dal dan eira. Welodd neb mohono am weddill y diwrnod. Doedd o ddim wedi talu ei fil, ac roedd 'na ddilledyn neu ddau yn dal yn ei stafell, felly gyda'r nos dyma'r gwesty yn galw'r heddlu. Mi fuodd tîm achub Llanberis, dau dîm o'r Llu Awyr a saith o gŵn a'u meistri yn chwilio amdano drwy'r nos, ond doedd 'na ddim golwg ohono. Ymhen chydig dyma glywed ei fod wedi dod i'r fei … yn cysgu mewn sied yng ngardd gefn ei gartref yn Coventry! Roedd y diawl bach – Paul Simon Deez oedd ei enw – wedi mynd yn ôl adref, ac am ei bod hi'n hwyr, mae'n debyg, ac yntau heb oriad

Rheilffordd yr Wyddfa dan eira ar Clogwyn Coch.

Winshman yn cael ei ollwng at gerddwr o Wessex.

i fynd i mewn, roedd o wedi mynd i gysgu yn y sied. Mi fu'r heddlu yn holi ei fam ychydig lathenni i ffwrdd o lle'r oedd o'n dal i rochian cysgu. Roedd o wedi gwastraffu amser tua 50 o achubwyr, ar gryn dipyn o gost, ac roedd rhai o'r gwirfoddolwyr nid yn unig wedi peryglu eu bywydau yn chwilio amdano, ond hefyd wedi colli diwrnod o waith a chyflog. Byddai un alwad ffôn wedi osgoi hynny, ond wnaeth o ddim meddwl am neb arall, mae'n amlwg. I rwbio halen i'r briw, yn ôl adroddiad gan Gerald Williams yn y *Daily Post*, ymateb Deez i'r holl beth oedd: 'I don't know what all the fuss was about. I didn't ask anyone to come looking for me.' Anhygoel! Oes, mae isio gras ar adegau.

Pennod 9

Oer a llithrig, gwlyb a pheryg

Dwi'n siŵr eich bod wedi sylwi erbyn hyn fod tywydd eithafol yn chwarae rhan flaenllaw yn y rhan fwyaf o'r digwyddiadau dwi'n sôn amdanyn nhw. Tywydd oer, gwyntoedd stormus, glaw a hyd yn oed heulwen danbaid – maen nhw i gyd yn gallu achosi problemau i gerddwyr. Ond eira a rhew, gwyntoedd cryfion a niwl ydi'r gelynion pennaf am wn i, er bod cymysgedd o law a gwynt yn gallu achosi hypothermia hefyd, os nad ydi dillad rhywun yn addas.

Dod â dringwr i lawr o Graig y Rhaeadr, Cwm Glas yn Chwefror 1982.

Mae 'na ddau reswm amlwg pam fod eira mor beryglus ar fynydd – mae o'n oer ac mae o'n llithrig. Ond mae eira a rhew yn denu math arbennig o bobol hefyd – y rhai sy'n hoff o anturio a herio'r mynyddoedd. Mae cyfle i ddringo ar rew heb orfod teithio cannoedd o filltiroedd yn ddeniadol iawn i rai.

Mae cwymp eira (*avalanche*) yn ddigwyddiad rheolaidd yn yr Alpau a llefydd felly, ac mae'n rhywbeth mwy cyffredin nag y basach chi'n ei ddisgwyl yn Eryri hefyd. Wrth gwrs, maen nhw ar raddfa lai na'r rhai welwch chi yn yr Alpau, ond ydyn, maen nhw'n digwydd yma. Mae 'na rai achosion lle mae pobol wedi cael eu hanafu, neu waeth, gan gwympiadau eira yn Eryri. Be sy'n digwydd ydi bod eira'n hel mewn lluwchfeydd dwfn ar y llethrau, wedyn ar ôl iddi gynhesu fymryn, neu fwrw glaw, mae'r rhew a'r eira yn mynd yn ansefydlog nes eu bod yn gollwng eu gafael ar y graig ac yn disgyn i lawr.

Mi gafodd dau ddringwr ddihangfa wyrthiol ar yr Wyddfa yn 1976 pan gawson nhw'u sgubo 700 troedfedd i lawr dringfa rew enwog o'r enw Parsley Fern Gully ar Grib y Ddysgl. Roedd y ddau yn gwisgo helmed, ac mae'n debyg fod hynny wedi achub eu bywydau. Roeddan nhw ddwy neu dair troedfedd o'r top pan ddaeth y darn rhew yr oeddan nhw'n ei ddringo yn rhydd a chwympo, a hwythau efo fo. Roedd un wedi torri ei fraich a'r llall wedi cael mân anafiadau, ond roedd hi'n ddihangfa ffodus dros ben. Roedd 'na chwe dringwr arall oddi tanyn nhw, a rhywsut neu'i gilydd wnaeth y digwyddiad ddim effeithio arnyn nhw, sy'n wyrth arall.

Mae 'na fideo eitha dychrynllyd ar y we o ddringwr yn llithro i lawr yr un ddringfa yn union, ar ôl i ddarn o rew ddisgyn a'i daro ar ei ben. Roedd yntau'n ffodus i ddianc efo mân anafiadau. Roedd o'n gwisgo helmed a chamera arni, felly mae'r digwyddiad brawychus wedi ei ddal ar ffilm. (ewch i www.thebmc.co.uk/helmetcam-slide-snowdonia-accident-llanberis-mountain-rescue neu rhowch 'Winter Safety: a scary

Sefyll ar Lyn Glas pan oedd wedi rhewi ddechrau Rhagfyr 1976. Roedd dringwr wedi cael ei ladd gan gwymp eira ar Sinister Gully. Isod: hofrenydd Wessex yn codi'r corff.

point of view' yn Google). Mae'r ddau achos yma'n dangos pa mor bwysig ydi gwisgo helmed wrth ddringo, boed hynny ar rew neu ar graig.

Ym mis Ionawr 1994 cafodd pedwar myfyriwr o Goleg Normal, Bangor, ddihangfa ffodus wrth fynd i fyny'r Wyddfa o Ryd Ddu pan gawson nhw eu dal mewn storm eira. Roeddan nhw ym Mwlch Main ar y pryd, ond yn lle troi'n ôl, mi benderfynon nhw abseilio i lawr fesul dipyn, i Gwm Clogwyn. Roedd hwnnw'n benderfyniad annoeth a dweud y lleiaf. Mi fasa mynd yn ôl y ffordd y daethon nhw wedi bod yn llawer callach. Un rhaff 120 troedfedd oedd ganddyn nhw, ac mi lwyddodd tri ohonyn nhw i gwblhau cam cyntaf yr abseil, ond pan oedd y pedwerydd ar ei ffordd i lawr achosodd gwymp eira, a sgubwyd y pedwar ohonyn nhw tua 300 i 500 troedfedd i lawr y mynydd. Mi wnaethon nhw lwyddo i gyrraedd fferm, lle galwyd am ambiwlans, ond doedd neb wedi brifo'n rhy ddrwg. Dihangfa ffodus arall.

Roedd gan eira *a* rhew ran i'w chwarae yn y ddau hanesyn nesaf.

Mae llwybr Lliwedd yn ddigon rhesymol fel arfer, ond pan mae'r tywydd yn rhewllyd mae'n gallu bod yn beryglus, fel unrhyw lwybr mynydd, bron iawn. Yn anffodus, felly y profodd hi yn achos cerddwr y cafodd fy nghyd-warden, Sam Roberts, a finna ein galw i'w gynorthwyo un diwrnod. Roedd 'na eira caled dan draed a'r gŵr wedi llithro rai cannoedd o droedfeddi – nid yn syth i lawr, ond mewn cyfres o stepiau neu lethrau. Mewn achosion felly mae'r sawl sy'n disgyn yn dioddef mwy a mwy o anafiadau efo pob step. Cafodd y tîm achub ei alw allan, ond Sam a finna oedd y cyntaf yno ac mi lwyddon ni i'w gael o ar strejiar. Pan gyrhaeddon ni'r boi roedd o'n siarad efo ni'n iawn, ac yn ymddangos fel nad oedd o wedi cael ei anafu'n rhy ddrwg. Y munud nesa dyma fo'n dechrau gweiddi, 'Help me, help me, I'm dying!'

Roedd o'n reit ddychrynllyd, ond fedrwn i wneud dim byd. Mi gyrhaeddodd y tîm i waelod y clogwyn a'i gael o i mewn i'r hofrenydd ond roedd o wedi marw cyn cyrraedd yr ysbyty. Mae rhywbeth fel'na yn siŵr o effeithio ar unrhyw un, a doeddwn i ddim yn eithriad. Beth bynnag, mi gefais fy ngalw i fynd i'r cwest, a chlywed yn fanno mai wedi dioddef anaf mewnol i un o'i wythiennau mawr yr oedd o, ac wedi boddi yn ei waed ei hun, mewn ffordd. Dyna oedd o'n drio'i ddweud wrtha i, mae'n siŵr. Mae hynna wedi aros efo fi hyd heddiw, ond mewn gwirionedd doedd 'na ddim byd y gallwn i fod wedi ei wneud iddo dan y fath amgylchiadau allan ar y mynydd.

Mae 'na ddigwyddiad arall tebyg wedi aros yn y cof hefyd. Mae ochr ogleddol Crib y Ddysgl yn dal eira pan fydd yr ochr ddeheuol, sydd yn yr haul, yn weddol glir yn aml iawn. Er mwyn osgoi'r dibyn ar yr ochr ddeheuol, mae pobol yn dueddol o fynd i'r ochr ogleddol wrth ddringo i fyny, a dyna oedd y criw ysgol 'ma wedi'i wneud. Roedd yr eira'n feddal dan draed pan oeddan nhw'n is i lawr, ond unwaith iddyn nhw gyrraedd y darn gogleddol 'ma, roedd o wedi rhewi'n gorn am nad oedd o'n cael haul. Y peth nesa, mi lithrodd un bachgen tua 600 troedfedd i lawr Fantail Gully. Mi ddois i ar eu traws nhw jest ar ôl i'r ddamwain ddigwydd, a dweud wrth yr athrawon am fynd â gweddill y plant o'na, cyn i mi fynd i lawr at yr hogyn bach. Dwi erioed wedi gweld neb yn goroesi cwymp yn y fan honno, ac mae'n drist gen i ddweud bod yr hogyn yma wedi colli'i fywyd yno. Mi alwais i am gymorth ar y radio, ac roedd yn rhaid aros wedyn am awr i'r hofrenydd gyrraedd. Yn y cyfamser ro'n i'n gorfod eistedd yno efo corff yr hogyn bach 'ma'n gorwedd ar lawr yn fanno, a'r unig beth oedd yn mynd drwy fy meddwl oedd y byddai rhywun yn gorfod dweud wrth ei fam y noson honno. Mae pethau o'r fath yn taro rhywun yn galed, fel rhyw fath o dâl am gael gweithio mewn lle mor anhygoel â'r Wyddfa.

Mae Morus y Gwynt hefyd yn gallu bod yn un o'r gelynion pennaf ar y mynyddoedd. Pan mae hi'n chwythu'n galed ar lawr

*Selwyn Davies, fi, Phil Benbow a Hugh Walton yn defnyddio olwyn
i ddod â strejiar i lawr llwybr Llanberis ym Mai 1984.*

gwlad, gall fod yn hyrddio tua 150 milltir yr awr ar gopa'r
Wyddfa. Mae hynny'n anghyffredin, efallai, ond mae gwyntoedd
80 i 100 milltir yr awr yn digwydd yn eitha aml.

Dwi'n cofio adeg pan oedd hi'n chwythu'n ofnadwy ac eira
trwm dan draed, a Tom Tomos, brawd Dei, yn mynd dros y grib
ym Mwlch Glas, lle mae Llwybr y Mwynwyr a Llwybr Pyg yn
uno efo Llwybr Llanberis, i osod 'dedman' – math o belai – a
rhaff yn yr eira er mwyn helpu gweddill aelodau'r tîm i ddod i
fyny'n saff. Roedd o'n gorfod cropian er mwyn gwneud hyn am
ei bod hi mor ofnadwy o wyntog yno.

Roedd y gwynt yn hyrddio tua 80 milltir yr awr ar 10
Chwefror 1985 hefyd, ac ar ben hynny roedd hi'n rhewi'n galed.
A chyn i chi ddechrau meddwl 'ew, mae gin Aled 'ma gof da!',
mae'n deg i mi egluro 'mod i wedi gwneud nodyn o'r
digwyddiad arbennig yma, ac mae'r manylion i gyd gen i. Ond
mi fasa'n anodd ei anghofio p'run bynnag. Roedd saith o'r tîm

wedi gorfod cael triniaeth at anafiadau – rhai ar ôl cael eu chwythu drosodd gan y gwynt, a rhai o effeithiau'r ewinrhew (*frostbite*), felly mae noson fel'na yn dueddol o aros yn y cof.

Yn ôl rhagolygon y tywydd roedd hi'n mynd i fod yn ddiwrnod sych ond oer iawn, efo gwynt dwyreiniol yn hyrddio'n gryf ar lawr gwlad ac yn gryfach o gwmpas 3,000 o droedfeddi. Roedd rhew ac eira o dan draed, a hwnnw'n chwythu a lluwchio yn y gwynt. Roedd y tymheredd o gwmpas y rhewbwynt yn Llanberis ac yn -10°C yn uwch i fyny, ond oherwydd effaith y gwynt roedd hi'n teimlo fel -16°C. Mae rhagolygon tywydd y Parc Cenedlaethol am y diwrnod yn nodi rhannau uchaf llwybr Watkin, trac y rheilffordd uwchben Gorsaf Clogwyn, a'r ardal o gwmpas Bwlch Glas ar lwybr Pyg fel y llefydd mwyaf peryglus, ac i'r llecyn olaf hwnnw y cafodd y tîm ei alw, gydag adroddiad bod milwr ifanc wedi ei daro'n wael oherwydd effeithiau'r oerfel. Roedd o'n un o grŵp o gatrawd y Royal Army Medical Corps (RAMC), a oedd yn ymarfer yn y mynyddoedd. Roedd ganddyn nhw offer go lew, yn cynnwys pabell a sachau cysgu da, ond nodwyd rhai diffygion hefyd. Mwy am hynny yn y man.

Rywsut neu'i gilydd mi lwyddodd y milwyr i godi pabell – er y basach chi'n taeru fod hynny'n gwbl amhosib yn y fath wynt – felly roedd ganddyn nhw fymryn o gysgod, a diolch i gefndir meddygol y grŵp, mi gafodd y claf driniaeth gan ei gyd-filwyr. Ond roedd pryder am ei gyflwr, ac felly penderfynwyd galw am gymorth i ddod i lawr.

Oherwydd y tywydd Arctigaidd mi gymerodd oriau i ni gyrraedd y claf. Roedd hi'n gythreulig o oer, a'r gwynt yn mynd at fêr eich esgyrn, er bod y gêr iawn gan bob un ohonom, yn cynnwys crampons a bwyelli rhew. Roedd pobol yn cael eu chwythu drosodd bob sut, roedd hi mor ddrwg â hynny. Ysgrifennydd y tîm achub, John Grisdale, a Phil Benbow gafodd hi waethaf. Torrodd John ei ysgwydd, neu ei *humerus*, ar y ffordd i lawr, a dioddefodd Phil effeithiau'r ewinrhew ar fawd

ei droed. Roedd esgidiau mynydda plastig wedi dod i mewn i ffasiwn yr adeg honno. Esgidiau dwbl oedd rhain, mewn ffordd, efo haen blastig ar y tu allan ac esgid tu mewn iddi. Phil oedd yr unig un o'r criw oedd ddim yn gwisgo pâr o'r rhain. Mi frifodd Cled (Cledwyn Jones) ei ben-glin, John Jackson ei glun,

Hugh Walton ei wyneb, ac mi gafodd ei fab, Nick Walton, a finna effeithiau cynnar ewinrhew ar ein hwynebau a'n clustiau. Roedd dau aelod arall, Colin Dickinson a'r diweddar John Owen Huws wedi llwyr ymlâdd (*extreme exhaustion*) ar ôl ein hymdrechion ar y mynydd, ac nid yw'n syndod o gwbl. Daeth yr alwad am help am 3.32 yn y prynhawn, a doeddan ni ddim yn ôl i lawr tan 11.30 y.h. – wyth awr yn ddiweddarach, yn y tywydd gwaethaf ers blynyddoedd ar yr Wyddfa.

Treuliodd y milwr 20 oed noson yn Ysbyty Gwynedd a chafodd ei ryddhau y bore wedyn. Roedd gweddill y milwyr, a ddaeth i lawr efo ni, yn iawn dan yr amgylchiadau hefyd. Dwi'n meddwl mai ni ddioddefodd waethaf y noson honno.

Mae'n arferiad gan aelodau'r tîm i gael trafodaeth ymysg ein gilydd ar ôl pob digwyddiad, er mwyn gweld oedd modd i ni wella ein technegau ac i hel syniadau am wella diogelwch ar y mynydd. Yn dilyn y drafodaeth am y digwyddiad ym Mwlch Glas, penderfynodd y pwyllgor ysgrifennu at y fyddin i dynnu sylw at rai pwyntiau. Yn y llythyr dywedodd ysgrifennydd y tîm, John Grisdale – a oedd yn athro wrth ei alwedigaeth, ond yn fynyddwr profiadol dros ben – fod y grŵp wedi cael dihangfa ffodus y diwrnod hwnnw.

Mae'n cydnabod eu bod wedi llwyddo i godi pabell mewn amgylchiadau anodd iawn, a'u bod wedi rhoi bwyd, diod a meddyginiaeth i'r claf. Ond mae'r llythyr yn codi rhai pwyntiau yn cynnwys y ffaith fod y tywydd yn eithafol, a bod y rhagolygon wedi rhybuddio hynny. Roedd y milwyr yn gwisgo eu hesgidiau *combat* arferol, meddai, ac oherwydd bod eu gwadnau yn hyblyg, doeddan nhw ddim yn addas ar gyfer gosod crampons arnyn nhw. Ar ben hynny, nid oedd y crampons oedd ganddyn nhw wedi cael eu haddasu ymlaen llaw i ffitio'r esgidiau ac nid oedd y grŵp wedi cael eu dysgu sut i osod ac addasu'r crampons chwaith, na sut i ddefnyddio bwyelli rhew. Roedd eu menig gwlân yn gwbl anaddas ar gyfer y fath dywydd hefyd, ac yn gyffredinol roedd diffyg arweiniad a diffyg profiad o dywydd eithafol, gaeafol, yn y grŵp, ym marn y pwyllgor.

Yn eu hateb mae'r fyddin yn mynnu bod yr arweinydd wedi cael digon o brofiad o dywydd Arctigaidd, ond maent yn cydnabod y dylid bod wedi talu mwy o sylw i'r esgidiau a'r crampons, a hefyd i effaith y gwynt – y *wind chill factor* – oedd yn gwneud iddi deimlo'n llawer oerach nag yr oedd y thermomedr yn ei awgrymu. Cafwyd cyfraniad o £25 ganddynt at goffrau'r tîm, fel cydnabyddiaeth o'n hymdrechion ar yr achubiad anodd hwnnw, chwarae teg iddyn nhw.

Ers talwm roedd cinio Nadolig y tîm achub yn achlysur pwysig iawn, nid yn unig i'r aelodau, ond i drigolion Llanberis. Roedd 'na falchder mawr yn y tîm yn lleol, fel y cewch chi mewn criwiau bad achub mewn ardaloedd lle mae 'na orsaf RNLI. Byddai hynny i'w weld bob Nadolig pan ddeuai tua 200 o bobl y pentref i'n cinio blynyddol, yng Ngwesty'r Victoria, Llanbêr.

Wessex yn Stesion Clogwyn yn cyfarfod aelodau Tîm Llanberis er mwyn trosglwyddo claf iddo.

Roedd o'n teimlo fel bod y pentref i gyd yn troi allan. Mae'r darn canlynol o adran Newyddion Bro y *Caernarfon & Denbigh Herald* ar 10 Chwefror 1985, sy'n cyfeirio at yr achubiad yng Nghwm Glas, yn dangos y balchder hwnnw:

> The whole area is very proud of the Llanberis Mountain Rescue Team who were called out in antarctic conditions on Snowdon last Sunday evening to rescue a 20-year-old Junior Soldier from Colchester who had been taken ill just below the summit from exposure. Three of our men had to be treated for different injuries and others for frostbite and facial injuries.

Nid yn y gaeaf yn unig y mae gwynt yn broblem chwaith. Mi gafodd y tîm achub ei alw allan i ddelio efo wyth gwahanol ddigwyddiad mewn dwy awr ar un diwrnod gwyntog iawn ar yr Wyddfa ym mis Mai 2008. Mae honna'n record, dwi'n siŵr. Roedd y tywydd yn braf yn y bore, ond cododd y gwynt yn y prynhawn gan ddal nifer o gerddwyr allan. Roedd y rhan fwyaf o'r digwyddiadau o gwmpas llwybr Llanberis, ac roeddan nhw'n cynnwys:

- Teulu oedd wedi gorfod cysgodi ger Gorsaf Clogwyn gan fod eu dwy ferch naw ac unarddeg oed yn cael eu chwythu drosodd.
- Bachgen 18 oed oedd wedi brifo'i ffêr ar ôl cael ei chwythu drosodd.
- Merch 19 oed a ddioddefodd friw dwfn i'w phen-glin ar ôl cael ei chwythu yn erbyn creigiau.
- Criw o gerddwyr oedd yn hwyrach na'r disgwyl yn dod yn ôl oherwydd y tywydd.
- Criw arall ar lwybr Pyg oedd yn hwyr ar ôl cael eu gorfodi i ddilyn llwybr arall oherwydd nerth y gwynt.

Pennod 10

Chwilio ac achub

Mae chwilio am rywun yn llawer anoddach nag achub rhywun. Pan dach chi'n achub rhywun, mae gynnoch chi syniad lle maen nhw fel arfer. Ond wrth gwrs, os ydach chi'n *chwilio* am rywun, yna does gynnoch chi ddim clem lle maen nhw, nag oes? A dyna sy'n ei gwneud hi'n anodd. Mae'ch meddwl chi yn mynd i lawr y trywydd 'faswn i byth yn edrych yn y lle a'r lle fel arfer, ond mi fasa'n well i mi wneud jest *rhag ofn* ...'. Mi ydach chi wedyn yn mynd i dir peryglus – yn llythrennol weithiau – achos rydach chi'n archwilio llefydd sydd oddi ar y llwybrau arferol. Yn aml iawn, a finna yng nghanol sefyllfa go beryglus, dwi wedi gofyn i mi fy hun, 'be ddiawl dwi'n dda yn fama?'

Os oeddan ni'n cael adroddiad bod rhywun ar goll, a dim syniad lle'r oeddan nhw wedi mynd, un o'r camau cyntaf oedd chwilio am eu car. Roedd dod o hyd i hwnnw yn help, wrth gwrs, ond dim cymaint â hynny. Meddyliwch – petai'r car yn Rhyd-ddu, lle oeddan ni'n dechrau chwilio? Yr Wyddfa? Crib Nantlle? Mynydd Mawr? Mae 'na sawl dewis, a dyna sy'n ei gwneud hi mor anodd os nad ydi pobol yn dweud i ble yn union maen nhw'n mynd. Mi all y car fod yn y Pàs, ond i ba ochr i'r bwlch mae'r cerddwr wedi mynd? Mi all o fod wedi mynd i fyny am y Glyderau. Weithiau, mae hi'n goblyn o job fawr i drio dod o hyd iddo. Mae dweud 'dwi'n mynd i fyny'r Wyddfa' yn well na dim, efallai, ond mae'n llawer gwell dweud 'dwi'n mynd ar lwybr Rhyd-ddu i fyny'r Wyddfa,' er enghraifft. Neu os ydach chi'n newid eich meddwl ac yn dewis llwybr gwahanol am ryw

Lansio ymgyrch diogelwch mynydd efo'r heddlu yn yr 80au – fi oedd cadeirydd y tîm ar y pryd.

reswm, wel ffoniwch rywun i ddweud wrthyn nhw. A hefyd, os ydach chi'n hwyr yn dod i lawr, ffoniwch ffrind neu aelod o'r teulu os medrwch chi, rhag ofn iddyn nhw ddechrau poeni a chysylltu efo'r heddlu. A phan mae'n gyfleus, ffoniwch i ddweud eich bod chi wedi cyrraedd i lawr yn saff.

Dydi pobol ddim yn sylweddoli – ac mae'n bwysig iawn eu bod nhw'n dysgu – nad ydi awr yn ddim byd ar y mynydd. Er enghraifft, os ydi'r hofrenydd yn cael ei ddefnyddio mae 'na ganllawiau i'w dilyn a phob math o bethau angen eu gwirio cyn iddo hyd yn oed godi i'r awyr. Wedyn mae o'n gorfod codi aelodau'r tîm achub yn rhywle, cyn cychwyn eto a chwilio am le addas i'w gollwng nhw. Mae hyn i gyd yn cymryd amser, ac i rywun sydd wirioneddol wedi brifo ac angen cymorth, mae'n teimlo fel oes. Mae'r amser yn amrywio, yn ddibynnol ar yr amgylchiadau, ond mae'n gallu cymryd tua tair awr o'r alwad am help, i gyrraedd y claf.

Weithiau mae hi'n haws mynd i rywle nag ydi hi i ddod yn ôl oddi yno, felly mae angen cofio hynna hefyd, a bod yn ofalus. A dwi wedi cael achosion lle mae rhywun yn dweud eu bod nhw wedi clywed llais yn gweiddi am help, ond mae'n troi allan i fod yn ddafad neu afr yn brefu. Ond y pwynt ydi, mae'n rhaid i chi fynd yno i wneud yn siŵr. Mae'n rhaid archwilio pob posibilrwydd ar adegau felly. Mewn llefydd fel yr Alban yn fwy na Chymru, mae'n gallu bod yn wythnosau cyn dod o hyd i bobol, yn enwedig os oes 'na eira trwm.

Dwi'n cofio achos Peter Edris Dimond, dyn 39 o Loegr, oedd ddim wedi cael ei weld ers dyddiau. Doedd o ddim wedi dweud wrth neb lle'r oedd o'n mynd, felly roeddan ni'n gorfod chwilio ym mhob man. Tîm Dyffryn Ogwen oedd yn chwilio amdano i ddechrau, ond mi ddaru nhw alw timau eraill i gynorthwyo ac ar wahân i'r timau lleol, roedd 'na griwiau o'r Peak District a mannau eraill, a dau neu dri tîm o'r Llu Awyr wrthi hefyd. Roedd tîm Llanberis yn chwilio Cwm Caseg a Chwm Llafar ar ochr Bethesda i'r Carneddau, a chymerodd dros 1,000 o bobol ran yn yr ymgyrch i ddod o hyd iddo, mewn tri diwrnod o chwilio dwys, ond heb unrhyw lwc. Roedd o fel petai o wedi diflannu oddi ar wyneb y ddaear. Yna, tua

Snowdonia hike scare —folly in high places

from CHRISTOPHER BRASHER: Snowdonia, 28 April 1973

THE FOUR Hertfordshire schoolboys who survived four nights out in the Carneddau are, in the words of John Ellis-Roberts, chief warden of the Snowdonia National Park, 'the ones that got away.'

What he means by that remark is that he sees so much folly committed in the mountains every week that it is a miracle that in his six years in the job, he has 'only' picked up 70 dead bodies in the mountains which he patrols.

There were definite mistakes last weekend.

● Those in charge of the Hertfordshire boys did not have a local weather forecast—they only listened to the general forecasts on the radio—despite the fact that they had several other parties, including one of girls, going out into the hills.

● A local forecast would have told them that snow and sleet, blowing in from the north-east, was forecast for Snowdonia.

● They cannot have gone through the boys' equipment and eliminated all the excess weight which was undoubtedly a factor in their slow progress towards the end of Good Friday, the day on which they got into trouble.

● And they did not ensure that the boys were really competent to navigate in the mountains when visibility was down to zero. Perhaps the chief cause of all the hullabaloo last weekend was that when the boys got into the mist some 1,500 yards short of the summit of Foel-Grach, their camp site for the night, their navigation went astray and they found themselves some 600 yards off course just above the cliff of Craig y Dulyn.

Important though these mistakes may be they are comparatively minor compared with some overriding vital factors. The boys had the right survival gear and they knew that when food and cold and near to exhaustion, the golden rule is not to try to escape, but to make camp and get some warmth and rest into your body.

Much more could come of last weekend's incident. First, the cancellation plans of the Duke of Edinburgh's Award scheme re-assessing...

for a gold award is a 50-mile trek in wild country, and if one examines the complete route planned by the boys one realises how ecumenical it is to one mile-age as an indicator of the worth of an expedition. Fifty miles in some parts of mountainous Wales can be as hard as 70 or 80 miles in other ranges; one mile in the Rhinogs, for instance, is as hard as three miles over Crossfell in the Pennines.

Routes are supposed to be reported on one of the award's voluntary expedition panel, but only about two out of three are reported and anyhow the panel covering Snowdonia is run from Cardiff. It might be easier to do it from Birmingham.

What is needed is a professional assessor, someone who can give advice about the proposed route before the expedition takes place and who can judge the worth of the expedition on sound mountaineering principles instead of mileage. John Ellis-Roberts, for instance, is constantly trying to discourage people from using the mountain refuge on Foel-Grach as a camp site. It is really there for emergency use only.

A proper assessment of their route before they set out might have saved the Hertfordshire boys from exhausting themselves by crossing three mountain ridges before they embarked on the main obstacle of the Carneddau Ridge itself. There is an alternative height saving route which would have more effectively tested two of the true qualities of someone competent to travel in wild country—the ability to navigate accurately under all conditions.

Their route on the second day would have led them through a new and exceedingly unpleasant forestry plantation — not marked on the maps—whereas the local knowledge of a professional assessor would have diverted them to an easy path a few hundred yards away.

And then there's the whole question of equipment. The Duke of Edinburgh's Award booklet specifies the minimum needed for an expedition, and its weight (between 35 and 25 lb per boy). Inevitably, an inexperienced people will ask what they think is necessary...

...the four Hertfordshire boys had 20 pairs of socks between them and enough equipment to last them for a week). One is constantly coming across Duke of Edinburgh Award parties staggering under loads of between 35 lb and 45 lb, whereas an experienced mountaineers reckon never to go on a long journey carrying more than 20 lb to 25 lb. But lightweight equipment that makes this possible is extremely expensive—a complete outfit, new, would be about £150.

The real profit from last weekend's 'fright' could come from a thorough investigation of the rescue set-up in Britain. This is now verging on a national disaster because of Whitehall bureaucracy. There are at least six different Government agencies involved and the amateur organisations which do the vast bulk of rescue work have to struggle for existence through a forest of red tape. The Ministry of Health is responsible for the medical supplies at mountain rescue posts. The police are responsible for the rescue equipment itself although this responsibility is on what one might describe as 'grace and favour' terms. It has happened, for instance, that if someone falls on one side of a ridge into one valley, then it is up to his rescue, using their own transport, equipment and time will be reimbursed by the Chief Constable of that county for their petrol and for any lost or damaged equipment. But if that person has fallen off the other side of the ridge into another county, then all the expenses of the rescue will be borne by the rescuers themselves. I knew of one man—an expert in his area—who was technically difficult rescues in his area

(Continued on page 2)

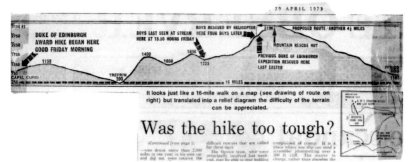

29 APRIL 1973

DUKE OF EDINBURGH
AWARD HIKE BEGAN HERE
GOOD FRIDAY MORNING

BOYS RESCUED BY HELICOPTER
BOYS LAST SEEN AT STREAM
HERE AT 15.30 HOURS FRIDAY
HERE FOUR DAYS LATER

PROPOSED ROUTE / ANOTHER 4½ MILES

MOUNTAIN RESCUE HUT

PREVIOUS DUKE OF EDINBURGH
EXPEDITION RESCUED HERE
LAST EASTER

CAPEL CURIG   TREFRIW   16 MILES

It looks just like a 16-mile walk on a map (see drawing of route on
right) but translated into a relief diagram the difficulty of the terrain
can be appreciated.

Was the hike too tough?

(Continued from page 1)

phum mis wedyn, roedd Sam yn digwydd bod ym Mwthyn Ogwen un diwrnod pan ddaeth rhywun i mewn a dweud ei fod wedi cael hyd i gorff mewn gwagle o dan garreg fawr. Cadarnhawyd yn ddiweddarach mai gweddillion Peter Dimond oeddan nhw, a daeth i'r amlwg yn y cwest ei fod wedi cymryd nifer fawr o dabledi. Penderfyniad y Crwner oedd ei fod wedi mynd i fyny'r mynydd ac wedi cuddio'i hun o dan y garreg gydag un bwriad yn unig, sef i ladd ei hun.

Mae 'na un achos eitha enwog sy'n tanlinellu pa mor anodd y mae'n gallu bod i chwilio am bobol sydd ar goll. Ar ddydd Gwener y Groglith 1973 roedd sylw'r genedl ar ddigwyddiad yn Eryri pan ddaeth adroddiadau fod pedwar o fechgyn yn eu harddegau ar goll. Roedd yr hogia o Loegr yn cwblhau taith gerdded 50 milltir ar gyfer eu bathodyn aur Gwobr Dug Caeredin ar y pryd, a'u tasg oedd cerdded rhwng mannau penodedig ar draws tirlun 'gwyllt' yn y Carneddau. Roeddan nhw'n cael pedwar diwrnod i wneud y daith, felly roeddan nhw'n gwersylla yn y gwyllt hefyd.

Roedd y rhagolygon y noson cynt yn addo tywydd go lew, ond rhybuddiodd bwletin lleol yn ddiweddarach y byddai'r tywydd yn troi ac yn oeri yn nes ymlaen, gyda glaw a niwl ar y bryniau am weddill y dydd. Mi glywodd yr oedolion oedd yn goruchwylio'r cwrs y rhagolwg cyntaf, ond yn anffodus chlywson nhw mo'r diweddariad ar gyfer gogledd Cymru, felly doedd y bechgyn ddim wedi cael rhybudd o'r hyn oedd i ddod. Gallai'r wybodaeth fod wedi gwneud gwahaniaeth mawr i'r hyn a ddigwyddodd wedyn.

Pan wawriodd y bore hwnnw, roedd y tywydd yn union fel y cafodd ei ddarogan yn y bwletin cyntaf ... ond pharodd o ddim yn hir. Roeddan nhw wedi bwriadu cerdded 16 milltir ar y diwrnod cyntaf, o Gapel Curig heibio Llyn Crafnant, i Drefriw yna heibio Llyn Eigiau er mwyn noswylio mewn lloches ger Foel Grach. Aeth pethau'n iawn ar y cychwyn, a'r tywydd yn union fel y disgwylid iddo fod. Ond wrth ddringo'n raddol, newidiodd y tywydd ac roeddan nhw rŵan yn cerdded i ddannedd gwynt cryf a glaw rhynllyd. Roeddan nhw wedi cerdded ychydig dros wyth milltir pan ddechreuodd un o'r criw ddangos symptomau o effeithiau'r oerfel. A'r niwl yn tewychu a'r dirwedd yn mynd yn fwy a mwy anodd, brwydrodd y pedwar yn eu blaenau'n ddygn, ond erbyn hynny roedd y glaw wedi troi'n eirlaw, ac roedd hi'n anodd gweld mwy nag ychydig lathenni o'u blaenau. Daethant yn is i lawr i geisio llwybr mwy diogel ond profodd hynny yr un mor beryglus, ac am tua chwech o'r gloch yr hwyr penderfynodd y bechgyn mai codi eu pabell a llochesu am y noson oedd y peth callaf i'w wneud. Penderfyniad doeth a chywir dan yr amgylchiadau.

Pan ddeffrodd yr hogia ar y bore Sadwrn roedd cwrlid gwyn o eira dros bob man a'r gwynt yn chwythu'n ffyrnig, felly penderfynwyd aros lle'r oeddan nhw am y tro. Roedd eu haseswyr yn poeni amdanyn nhw erbyn hyn, ac mi aeth y rheiny allan i chwilio ar hyd y llwybr yr oedd y bechgyn i fod i'w ddilyn, ond welwyd mohonyn nhw, ac am ryw reswm wnaeth yr aseswyr ddim rhybuddio neb nad oedd y pedwar wedi cael eu gweld ers y pnawn Gwener. Treuliodd y bechgyn eu hail noson allan, gan geisio gwneud y gorau o'r mymryn bwyd oedd ganddyn nhw – ychydig o duniau pys ac ati, bariau o siocled a Kendal Mint Cake.

Aeth eu goruchwylwyr allan eto yn gynnar ar y bore Sul, ac erbyn canol y prynhawn, a dim sôn amdanynt, penderfynwyd hysbysu'r awdurdodau a'r gwasanaethau achub o'r sefyllfa. Dechreuwyd chwilio yn syth, ond doedd 'na fawr o olau dydd ar ôl felly rhoddwyd y gorau iddi tan fore Llun.

Yn y cyfamser, roedd yr hogia wedi penderfynu brwydro ymlaen o'u gwersyll cyntaf yn y gobaith y byddai'r tywydd yn gwella a'r cymylau isel yn codi, ond ar ôl rhyw ddwy filltir, daeth yn amlwg nad oedd hynny am ddigwydd, a chodwyd y babell eto ar gyfer trydedd noson ar y mynydd.

Roedd y tywydd dal yn ddrwg ar fore Llun y Pasg pan ailddechreuwyd y chwilio, ond daeth hofrenydd o'r Fali i roi cymorth i tua 50 o wirfoddolwyr o dimau achub mynydd lleol, yn cynnwys tîm Llanberis a rhai pobl oedd â chŵn. Dirywiodd y tywydd ymhellach gydag eira trwm a hwnnw'n lluwchio, nes ei bod hi bron yn amhosib cario mlaen. Roedd y newyddion fod y bechgyn ar goll wedi cyrraedd y bwletinau newyddion erbyn amser cinio, a dechreuodd rhagor o wirfoddolwyr o bob cwr o ogledd Cymru gyrraedd Bwthyn Ogwen i gynnig helpu. Dechreuwyd anfon timau o 12 allan ar rota i barhau â'r gwaith, ac i ehangu'r ardal chwilio. Roedd 438 o bobol yn cymryd rhan yn y chwilio erbyn hyn, a bu'n rhaid i'r heddlu sefydlu cantîn i fwydo'r criwiau wrth iddyn nhw ddychwelyd. Roedd y pedwar yn gwybod ein bod ni'n chwilio amdanyn nhw achos roedd gan un ohonyn nhw radio transistor fechan efo fo, ac roedd ei dad wedi rhoi neges ar un o'r bwletinau newyddion yn dweud bod help ar y ffordd. Ond hyd yn oed wedyn, mae'n rhaid ei bod hi'n anodd iawn arnyn nhw ac erbyn diwedd y dydd doedd dim amdani ond paratoi ar gyfer eu pedwaredd noson allan.

Drwy lwc, mi gododd y cymylau erbyn amser cinio dydd Mawrth a llwyddodd yr hofrenydd i hedfan yn is, a dyna pryd y gwelwyd un o'r bechgyn a oedd wedi cerdded oddi wrth y babell ar ôl clywed sŵn y peiriant, er mwyn ceisio tynnu sylw'r chwilwyr. Diolch byth, roedd 'na ddiweddglo hapus i'r stori, ac oni bai eu bod nhw ar lwgu isio bwyd, doedd 'run o'r bechgyn fawr gwaeth ar ôl pedair noson o wersylla yn yr eira.

Fel sy'n wir am bob achubiad, mae 'na wersi i'w dysgu. Y gyntaf oedd methiant y goruchwylwyr i wrando am y rhagolygon lleol diweddaraf. Yr ail oedd dewis y Carneddau yn lle i gynnal ymarferiad o'r fath yr adeg honno o'r flwyddyn, ar gyfer pedwar hogyn yn eu harddegau. Mae'r dirwedd yn y rhan hon o Eryri yn gallu bod yn heriol ar y gorau, heb sôn am osod blanced o eira dros y cyfan. Ac yn drydydd, am bod y bechgyn wedi symud a gwersylla mewn gwahanol lefydd, roedd y timau achub wedi methu dod o hyd iddyn nhw yn y tywydd gwael. Hynny ydi, roedd y bechgyn wedi symud i ardal a oedd eisoes wedi cael ei dynodi'n glir gan y chwilwyr. Wedyn roeddan ninnau'n dechrau chwilio'r ardal lle'r oeddan nhw wedi bod, yn

Whirlwind ar achubiad yn Gyrn Las ym Medi 1973. Os sylwch chi, does gan y winshman ddim helmed gan iddi chwythu i ffwrdd yng ngwynt y propelars!

union fel tasan ni'n chwarae mig efo'n gilydd. Roedd setiau a chysylltiadau radio yn wael iawn hefyd, a dweud y lleia. Roedd yn rhaid parcio un o wagenni'r Llu Awyr ger blwch ffôn yn Nebo, uwchben Llanrwst, wedyn roeddan ni'n cadw mewn cysylltiad efo'r wagan ar ein setiau radio, ac roedd rhywun arall wedyn yn ffonio Bwthyn Ogwen o'r blwch ffôn i drosglwyddo'r wybodaeth ddiweddaraf iddyn nhw. Doedd 'na ddim ffordd arall o gadw mewn cysylltiad. O sbio'n ôl heddiw, mae'r peth yn eitha chwerthinllyd, ond fel'na oedd hi yn y dyddiau cynnar.

Chwarae teg, wnaeth yr hogia oedd ar goll ddim byd o'i le, ac mi ddilynon nhw'r camau cywir dan yr amgylchiadau. Roedd sefyllfaoedd fel hon yn digwydd yn aml ers talwm oherwydd trafferthion cysylltu. Mae technoleg wedi datblygu'n aruthrol ym mhob agwedd bellach, ac erbyn hyn mae 'na bob math o offer ar gael i helpu.

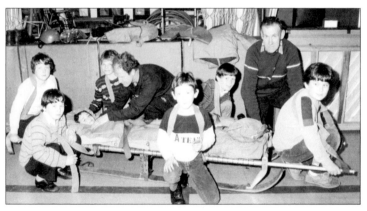

Mi fues i a Cledwyn Jones (warden gwirfoddol) yn mynd rownd ysgolion i hyrwyddo diogelwch mynydd. Yn Ysgol Dolbadarn, Llanberis yr ydan ni yn y llun yma.

Pennod 11

Dwyn setiau radio i wireddu ffantasi

Fel popeth arall, mae achub mynydd wedi gweld newidiadau anferthol dros y blynyddoedd, diolch i dechnoleg newydd. Mae'r offer sydd ar gael heddiw yn wyrth o'i gymharu â'r stwff oedd o gwmpas yn yr 1970au a hyd yn oed yr 1980au. Mae'r lampau modern gymaint gwell na'r hen bethau yr oeddan ni'n eu gwneud ein hunain ers talwm, ac mae'r offer radio yn llawer iawn cryfach. Mae hyd yn oed y rhaffau a'r gêr dringo wedi gwella tu hwnt i bob rheswm.

Ar y dechrau roedd yr offer – strejiar, bag goroesi i gadw cleifion yn gynnes a stwff cymorth cyntaf – yn cael ei gadw yng nghanolfan Hafod Meurig. Roedd aelodau'r tîm achub yn defnyddio eu gêr dringo a'u rhaffau eu hunain bryd hynny, ond roedd y sefyllfa honno'n creu problem. Rhaffau dringo oedd gan bawb am mai dringwyr oeddan nhw. Efallai nad ydi pawb yn sylweddoli hyn, ond dydi rhaffau dringo ddim yn gweithio'n dda iawn wrth achub pobol.

Mae 'na wahaniaeth sylfaenol rhwng rhaffau dringo a rhaffau achub. Pwrpas rhaffau dringo ydi i gymryd straen a phwysau rhywun yn disgyn. Mae'r rhaff felly yn gorfod ymestyn neu strejio heb dorri, a heb dorri'r dringwr! Peth hollol wahanol ydi rhaff achub – mae honno wedi cael ei gwneud i gymryd pwysau, ond ddim i ymestyn. Y drwg efo rhaff ddringo pan mae rhywun yn ei chlymu hi i strejiar ydi ei bod hi'n ymestyn ac yn gwneud y strejiar yn an-sad neu'n simsan fel tasa fo ar lastig. Mae rhaffau achub, neu raffau statig, yr un fath â'r rhaffau sy'n

84

cael eu defnyddio i abseilio neu godi llwythi. Rhain sy'n cael eu defnyddio gan ogofawyr, ac ar y dechrau roeddan ni'n prynu ein rhaffau achub gan gyflenwyr stwff ogofa o'r Peak District.

Roeddan ni'n gwneud ein lampau ein hunain gan ddefnyddio batris mawr sgwâr, mymryn o weiran a bylb lamp car. Roeddan nhw'n eitha cyntefig a thrwsgwl, a doeddan nhw ddim yn rhy ddibynadwy o'u cymharu â'r lampau sydd ar gael heddiw. Mi gafodd y tîm generadur trydan ymhen ychydig flynyddoedd – roedd o'n ddigon bychan i ni fynd â fo efo ni ar achubiadau, ond roedd hwnnw'n drwm a thrwsgl hefyd, yn enwedig o gofio ein bod ni angen cario ein gêr ein hunain hefyd.

Y tortshys pen cyntaf i ni eu defnyddio wedi eu gwneud gan gwmni o Ffrainc.

*Isod:
Tortsh Petzl o'r 70au cynnar: Rolls Royce y tortshys!*

Lamp llaw, lamp generadur bach a thortsh pen FX2.

Roedd hi'n waeth yn y gaeaf, achos roedd angen i ni gario mwy o gêr efo ni, fel dillad sbâr a mymryn o fwyd a diod ac yn y blaen. Roedd y generadur trydan yn cael ei gadw mewn bocs metel, a'r bocs hwnnw'n cysylltu â ffrâm fetel, oedd yn ein galluogi i'w gario fo ar ein cefnau. Ar danwydd *two-stroke* roedd o'n rhedeg, ac roedd modd cysylltu lampau mawr cryf iddo fo naill ai i'w rhoi ar y llawr neu i'w dal yn ein dwylo. Ond fel dwi'n dweud, mae lampau heddiw yn llawer iawn gwell, wrth gwrs.

Mae'r radio yn gyfarpar arall sydd wedi newid yn aruthrol ers y dechrau. Hanner watt oedd cryfder yr hen rai oedd gynnon ni – mae rhai heddiw yn 12 watt, sy'n welliant sylweddol! Mae radio'n hollol hanfodol i dîm achub mynydd, wrth reswm, felly roedd clywed bod rhywun wedi dwyn chwe set radio o ganolfan y tîm achub yn Nant Peris yn newyddion drwg iawn. Ar wahân i'r gost sylweddol o gael rhai newydd, gallai bod hebddyn nhw beryglu bywydau. Gwnaethpwyd apêl, a chawsom fenthyg

Radio Pye Bantam (blaen) a Pye Base (cefn) o'r 60au a'r 70au.

Radio Ultra o'r 70au.

Pye 70 (chwith) a Pye Westminster (dde) o'r 70au a 80au cynnar.

setiau radio gan dimau achub eraill nes i ni fedru cael rhai newydd. Ond roedd cefndir y lladrad, a'r hyn a ddatgelwyd yn ddiweddarach, yn stori ryfedd a rhyfeddol.

Fis neu ddau ar ôl y digwyddiad, cafodd dyn 29 oed, oedd yn gwisgo lifrai lefftenant y Llynges Brenhinol, ei arestio yn yr Alban ar gyhuddiad o wneud galwad ffug i dîm achub mynydd Glencoe. Roedd y dyn wedi cael ei weld yn cerdded o amgylch maes pebyll yn yr ardal, yn siarad i mewn i set radio. Dywedodd ar yr awyr ei fod yn swyddog yn y Llynges, ei fod yn arwain criw o ddringwyr a bod un ohonynt wedi cael ei anafu ar ôl disgyn ar y mynydd.

Bu dros 100 o bobol yn chwilio am y person oedd ar goll am rai dyddiau, a galwyd dau hofrenydd i'w cynorthwyo. Ond ar ôl methu dod o hyd iddo, dechreuodd yr heddlu amau bod rhywbeth ddim cweit yn iawn, ac wrth archwilio car y dyn daethpwyd o hyd i setiau radio hefo 'Peris' wedi ei sgwennu ar eu cefnau.

Gwnaethant fwy o ymholiadau a darganfod bod y radios wedi cael eu dwyn oddi wrth dîm achub Llanberis, a 'Peris' oedd *call-sign* y tîm. Doedd y dyn – Mark Sinclair-Smith, swyddog diogelwch o Warmley ger Bryste – ddim yn aelod o'r Llynges heb sôn am fod yn swyddog, a doedd 'na neb ar goll yn ardal Glencoe. Ffantasi oedd y cyfan. Beth bynnag, am mai fi oedd swyddog offer y tîm ar y pryd, bu'n rhaid i mi fynd i fyny i Inverness i'r achos llys i roi tystiolaeth. Roeddwn i'n aros mewn gwesty o'r enw Four Winds, ac roedd rhywun wedi crafu'r geiriau Four Farts oddi tano ar yr arwydd! Mi oeddwn i yno am bedwar diwrnod, ond am nad oeddwn i'n gwybod i sicrwydd am faint y byddai'r achos yn para roedd yn rhaid i mi fwcio i mewn ac allan bob dydd, a chael fy symud i stafell wely wahanol bob tro! Cafodd Sinclair-Smith ei garcharu am chwe mlynedd am wneud yr alwad ffug, dwyn y radios a throseddau eraill. Pennod go ryfedd oedd honno yn hanes y tîm.

Cartref y tîm yn Nant Peris yn y 90au.

Fi ar Ben-y-pàs yn 1983, hefo radio yn fy sach gefn.

Fflêrs: mwg hofrenydd ydi'r un gwyrdd, i arwain y peilot i lanio, ac mae parasiwt bach yn yr un melyn i oleuo'r nos am amser hirach.

Mae aelodau tîm achub yn gorfod bod yn hyddysg yn eu cymorth cyntaf, ac mae rhai aelodau, fel arfer, yn arbenigo yn yr agwedd yma ac yn mynd ar gyrsiau pellach er mwyn datblygu eu sgiliau meddygol. Ac mi welwch chi pam, pan welwch chi'r math o offer maen nhw'n ei gario efo nhw y dyddiau yma, er mwyn gallu taclo pob math o sefyllfaoedd allai godi ar y mynydd. Er enghraifft, heb sôn am yr offer cymorth cyntaf arferol y byddech yn disgwyl ei weld, tydi o ddim yn beth anghyffredin i dîm gario offer anadlu, ocsigen, cyfarpar i fesur curiad y galon a lefelau siwgr yn y gwaed, diffibrilydd a pheiriant mesur pwysedd gwaed, i enwi dim ond rhai o'r prif declynnau.

Rhan hanfodol arall o'r cit meddygol yw gwahanol sblints i'w defnyddio pan fydd rhywun wedi torri asgwrn. Mae 'na amrywiaeth o'r rhain ar gael at bob math o anaf i wahanol gymalau.

Ac yn olaf, y strejiar. Eto, mae sawl gwahanol fath ar gael, ond y nodweddion pwysicaf y mae'r achubwyr yn chwilio amdanynt yw eu bod nhw'n ysgafn i'w cario, a chymharol hawdd i'w llwytho a'u gostwng i lawr y clogwyni. O safbwynt y claf, y gobaith yw eu bod nhw'n ddiogel a gweddol gyfforddus. Mae'r hofrenydd yn gallu codi strejiars hefyd, efo harnais arbennig, ac maen nhw bob amser yn cael eu codi'n llorweddol. Mi ddyfeisiodd John Êl fath o sling ar gyfer hyn, a chafodd ei ddefnyddio gyntaf efo hofrenydd Whirlwind.

Dyma'r prif fathau o strejiars:

Strejiar Thomas: Strejiar un darn a fu mewn defnydd o'r 1930au tan yr 1960au, cyn dyddiau hofrenyddion. Roedd o'n un da os oedd angen cario rhywun yn bell, am bod wyth o bobol yn gallu ei gario efo'i gilydd. Yn ei ddydd roedd hi'n anodd ei guro fo.

Dau fath o strejiar Thomas; un mewn dau ddarn er mwyn ei gario'n haws.

Strejiar Bell: Strejiar un darn. Er bod y ddau'n weddol debyg i'w gilydd mae'r Bell yn ysgafnach na'r hen fersiwn o'r Thomas. Hwn ydi'r un sy'n cael ei ddosbarthu i dimau achub gan Achub Mynydd Lloegr a Chymru, a'r MacInnes yn yr Alban. Ond weithiau mae timau achub isio prynu strejiar gwahanol, ac maen nhw talu am y rheiny eu hunain. Yn y tair neu bedair blynedd ddiwethaf mae un o aelodau tim Llanberis wedi gwneud olwyn i ffitio ar y Bell, ac mae'n gweithio'n fendigedig yn ôl y sôn.

Strejiar Bell.

Strejiar MacInnes: Dyluniodd Hamish MacInnes (y soniais i amdano'n gynharach) sawl math o strejiar dros y blynyddoedd, yn cynnwys rhai y gellid eu rhannu'n ddau ddarn. Y ddau fath yr oeddan ni'n eu defnyddio gan amlaf oedd yr Mk6, a'r Superlight. Roedd hwnnw'n plygu'n dri darn ac roedd un person yn gallu ei gario fo. Roedd modd gosod olwyn ar y ddau fath yma, yng nghanol y strejiar fel ei fod fel si-sô, sy'n ei gwneud hi'n haws pan mae angen ei ollwng dros ymyl dibyn.

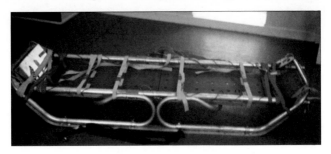

Strejiar MacInnes Mk6.

Strejiar Neil Robertson: Math sy'n gyffredin iawn ar longau, gan Wylwyr y Glannau neu ar gyfer achubiadau mewn ogofâu. Mae o'n fwy cul na mathau eraill, ac yn haws i'w ddefnyddio mewn llefydd cyfyng.

Tragsitz: Math o sedd a ddatblygwyd yn yr Alpau i gario claf ar ei eistedd. Mewn rhai achosion, lle mae ei anafiadau'n caniatáu hynny, mae'n fwy cyfforddus i'r claf gael ei gludo felly.

Strejiar rhaffau: Strejiar dros dro, oedd yn cael ei ddefnyddio fwyaf yn yr 1950au a'r 1960au, pan oedd cyfathrebu yn llawer mwy anodd, ac mewn argyfwng yn unig. Mae'n cael ei wneud trwy glymu rhaffau efo'i gilydd i ffurfio 'gwely' ac yn cael ei gario gan bedwar person fel arfer. Mae'n anghyfforddus i'r claf ac i'r rhai sy'n cario, ac felly nid yw'n addas ar gyfer rhywun

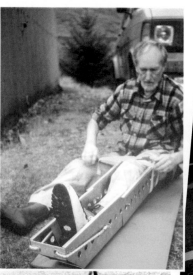

Hamish MacInnes yn arddangos sblint coes yr oedd o wedi'i gynllunio.

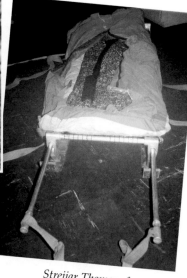

Strejiar Thomas efo sach anfiadau arno.

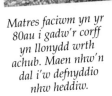

Matres faciwm yn yr 80au i gadw'r corff yn llonydd wrth achub. Maen nhw'n dal i'w defnyddio nhw heddiw.

Rhoi gwely newydd ar strejiar Thomas.

Top: yr harnes
gynlluniodd John
Êl ar gyfer y
strejiar Thomas.

Dde:
Hwn oedd y cit
roeddan ni'n ei
gario ar
achubiad.

sydd wedi brifo'n ddrwg, felly mewn argyfwng go iawn yn unig mae'n cael ei ddefnyddio.

Mae'r gwahanol strejiars a'r offer yn dal i gael eu datblygu a'u gwella drwy'r amser. Erbyn hyn mae strejiars titaniwm a ffeibr carbon yn cael eu cynhyrchu sy'n llawer ysgafnach.

Mi welwch chi o'r rhestr uchod pam bod angen cymaint o barau o ddwylo ar gyfer achubiad. Fel arfer, y dyddiau yma, mae gan y tîm syniad go lew o'r hyn sydd o'u blaenau, a pha gêr fydd ei angen arnyn nhw. Ers talwm roedd yn rhaid cario mwy o offer, er mwyn bod yn barod am unrhyw amgylchiad, bron iawn. Roedd rhai yn holi pam fod angen cymaint o achubwyr os oeddan ni'n gwybod yn union ble oedd y sawl oedd mewn trafferth ... wel, i gario'r holl offer! Ond roedd 'na ddyletswyddau pwysig eraill hefyd.

Er enghraifft, unwaith y mae'r sawl sy wedi brifo wedi cael ei roi ar y strejiar, mae'n hanfodol fod y criw yn symud i lawr y mynydd mor gyflym â phosib. Mae unrhyw oedi'n gallu bod yn niweidiol i'r claf, felly mae rhai o aelodau'r tîm yn mynd o flaen y strejiar i osod beleiau os oes angen rhai, fel bod y rhaffau'n barod i fachu ynddyn nhw pan fydd criw'r strejiar yn cyrraedd. Mae rhywun hefyd yn gorfod tynnu'r beleiau ac ati oddi yno ar ôl gorffen efo nhw. A gan fod nifer fawr o achubiadau'n digwydd ar ôl iddi dywyllu, mae angen rhai i oleuo'r ffordd i'r gweddill.

Roedd John Êl yn dipyn o giamstar ar ddylunio offer defnyddiol ar gyfer achubiadau. Dwi'n meddwl fod Hamish MacInnes wedi tanio'i ddychymyg yn hynny o beth – roedd Hamish o flaen ei amser mewn ffordd, yn beiriannydd a dylunydd da iawn ac yn dipyn o arloeswr ym myd offer mynydda. Fel y soniais uchod, mi ddyluniodd strejiar achub

Signal mwg i nodi cyfeiriad y gwynt i helpu'r hofrennydd i lanio. Strejar Bell ydi hwn ar ddiwedd yr 80au.

Achubiad ar lwybr Pyg yr Wyddfa. Winshman yr hofrenydd sydd mewn helmed felyn, yn sicrhau bod y claf yn sownd cyn ei godi.

arbennig, a fo oedd yn gyfrifol am ddylunio'r bwyelli rhew cyntaf efo coesau metal yn lle rhai pren. Roedd rhai dringwyr yn troi eu trwynau ar yr arfer o gnocio *pitons* – pegiau metal – i mewn i graig i'w helpu i goncro rhyw ddringfa arbennig, ond doedd Hamish yn poeni dim am wneud hynny. Roedd o wedi gweld dringwyr gorau'r Eidal yn gwneud yr un peth yn yr

Y generadur roeddan ni'n ei gario ar ein cefnau ar gyfer y lampau.

96

Alpau, ac roedd hynny'n ddigon da i Hamish. Roedd o'n dipyn o rebal yn ei ffordd ei hun, ond roedd o'r un mor frwd dros ddiogelwch ar y mynydd ac mewn gwella technegau achub.

Roedd John hefyd yn dipyn o beiriannydd. Ar ôl gadael yr ysgol, bu'n gweithio fel drafftsmon yn atomfa Trawsfynydd, ac yna'n beiriannydd efo Dŵr Cymru, cyn cael ei benodi'n brif warden y Parc yn 1965. Un o ddyfeisiadau gorau John oedd bag ar gyfer achub defaid. Roedd o wedi'i ddylunio efo pedwar strap a chortyn i'w dynhau a'i gau, fel bod yr anifail o'r golwg

Trio strejar newydd yn y Fali yn yr 80au. Hanner helicopter yn sownd yn y wal oedd hwn, a'r strejar oedd y McInnes Mk6. John Ellis Roberts sy'n hongian efo'r strejar.

ynddo fwy neu lai, ac felly yn llai tebygol o strancio. Mi ddyfeisiodd ryw declyn ar gyfer cadw cleifion yn gynnes hefyd, neu godi tymheredd rhai oedd yn dioddef o'r oerfel. Roedd o'n cael ei roi tu mewn i sach anafiadau ac yn gweithio efo batri. Gallai gadw claf yn gynnes am tua 10 awr, ond dwi ddim yn cofio i ni ddefnyddio llawer arno, chwaith.

Pennod 12

Y Bwji Melyn

Yr unig beth dwi'n ei gofio am fod mewn hofrenydd am y tro cyntaf oedd ein bod ni yng nghanol uffarn o storm a 'mod i fymryn bach yn bryderus, ond yn fuan iawn mi ddaeth teithio ynddyn nhw yn ail natur i ni. Mae'r gwahaniaeth rhwng yr hofrenyddion sy'n cael eu defnyddio heddiw a'r hen Whirlwind, oedd yn gwasanaethu yn y blynyddoedd cynnar, yn anhygoel. Dychmygwch set deledu yn yr 1950au neu'r 1960au, a setiau teledu heddiw. Dyna'r math o wahaniaeth yr ydan ni'n sôn amdano, ac mae'r un peth yn wir ym mhob maes erbyn hyn, wrth gwrs. Soniais eisoes am rai o'r gwelliannau technegol sydd wedi digwydd yn y maes offer mynydda dros y blynyddoedd – wel, un o'r datblygiadau mwyaf a welwyd oedd y defnydd o hofrenyddion mewn achubiadau, a'r gwelliannau i'r rheiny wrth i dechnoleg newydd ddatblygu.

Ffurfiwyd 22 Squadron y Llu Awyr yn 1915 i wneud rhagchwiliadau o'r awyr yn ystod y Rhyfel Byd Cyntaf ... ond nid mewn hofrenyddion. Doedd y rheiny ddim yn bodoli tan yr 1930au, a ddim yn cael eu defnyddio go iawn tan yr Ail Ryfel Byd. Newidiodd rôl y sgwadron dros y blynyddoedd, ond o 1955 ei phrif ddyletswydd oedd chwilio ac achub o orsaf Llu Awyr y Fali. Yna, yn 2015, penderfynwyd rhoi'r gwasanaeth allan i dendr, a bellach cwmni Bristow Helicopters sy'n gyfrifol am chwilio ac achub yng ngogledd Cymru, ac o faes awyr Caernarfon yn hytrach na gorsaf y Fali. Maen nhw'n defnyddio hofrenyddion Sikorsky S-92 coch a gwyn, ond mae rhai pobol

Whirlwind ac aelodau'r 22 SQDN yn glanio ar gae pêl-droed Llanberis yn Chwefror 1967. Yn anffodus, lladdwyd dau ar Clogwyn Coch yn y digwyddiad hwn.

yn dal i hiraethu am y bwji melyn, fel yr oeddan ni'n galw'r hen hofrenyddion.

Hofrenyddion Westland Whirlwind oedd y rhai cyntaf i gael eu defnyddio ar gyfer chwilio ac achub o'r Fali. Ond doeddan nhw ddim yn gaffaeliad mor fawr â hynny ar y dechrau, yn nhermau achub mynydd. Er enghraifft, dim ond tua 45 troedfedd o gêbl oedd arnyn nhw, ac roeddan ni'n clymu rhaff i waelod y cêbl os oedd angen mwy. Fasa hynny byth yn digwydd heddiw oherwydd rheolau iechyd a diogelwch. Mewn cymhariaeth, mae gan hofrenyddion modern tua 300 troedfedd o gêbl ar gyfer y gwaith. Roedd y Whirlwind yn fychan, yn swnllyd, a doeddan nhw ddim yn gallu hedfan pan oedd hi'n wyntog iawn. Ac oherwydd diffyg pŵer, roeddan nhw'n cael trafferth codi i'r awyr pan oedd y tywydd yn boeth iawn hefyd am ryw reswm. Ar wahân i'r peilot, y llywiwr (*navigator*) a'r dyn ar y winsh, doedd o ond yn gallu cario dau berson arall ran amlaf, weithiau un neu ddau arall, yn dibynnu ar yr amgylchiadau. Doedd o ddim yn gyfforddus o bell ffordd. Y winshman oedd yn ein gollwng ni i lawr, ond os oedd angen iddo fo gael ei ollwng am ryw reswm, y llywiwr fyddai'n gwneud hynny. Yn y dyddiau cynnar roeddan ni'n gorfod trosglwyddo cleifion i strejiar yr hofrenydd os oedd angen ei winsho am nad âi ein strejiar ni drwy'r drws (newidiodd hynny efo'r harnes a gynlluniodd John Êl ar gyfer y gwaith). Roedd hynny'n hollol annerbyniol os oedd rhywun wedi brifo'n ddrwg. Ac os oedd claf ar strejiar, wel, roedd 'na siawns reit dda ei fod o'n dioddef o rywbeth gwaeth na dolur gwddw! Roeddach chi'n cael eich 'sgytio'n ofnadwy ar y Whirlwind hefyd, a doedd hynny ddim yn llesol i glaf chwaith.

Rhwng popeth, ar y dechrau doeddan nhw ddim yn cael eu galw allan mor aml ag y byddech chi'n ddisgwyl. Mi faswn i'n amcangyfrif mai dim ond mewn rhyw 10% o achubiadau y defnyddiwyd yr hofrenydd yn y dyddiau cynnar. Mae'n siŵr bod y ffigwr tua 90% erbyn heddiw.

Gwnaeth y Whirlwind waith clodwiw, cofiwch, ond yn ogystal â'r ffaeleddau dwi wedi'u nodi, doedd o'n dda i ddim ar ôl iddi dywyllu chwaith, oherwydd doedd yr offer angenrheidiol ddim ganddo i hedfan yn y nos. Serch hynny, tua diwedd ei gyfnod yn y Fali, cyn i hofrenyddion Wessex ei ddisodli, mi fues i'n dyst i'r achubiad nos cyntaf efo'r Whirlwind. Mae hi'n stori ryfeddol, ac yn werth ei hailadrodd.

Diwrnod gwyntog ddiwedd Tachwedd 1974 oedd hi, ac roedd darpar athro o Birmingham wedi anafu ei gefn ar ôl disgyn 80 troedfedd ar Glogwyn y Garnedd, ger copa'r Wyddfa. Digwyddodd y ddamwain tua 2.30 yn y prynhawn ac roedd yr hofrenydd yn cael trafferth oherwydd nerth y gwynt, a methodd ar ei ymgais cyntaf i achub y gŵr. Erbyn i'r gwynt ostegu digon roedd hi wedi tywyllu, ond penderfynwyd mentro eto efo'r hofrenydd er gwaetha'r ffaith nad oedd o'n addas ar gyfer hedfan yn y nos. Roedd y lleuad yn olau pan gychwynnodd o, ond yn fuan iawn daeth cymylau i'w orchuddio a glaniodd yr hofrenydd wrth ymyl yr hen Valve House lle mae'r bibell ddŵr yn mynd i orsaf trydandŵr Cwm Dyli yn y dyffryn islaw. Roeddan ni wedi gorfod cael benthyg dau gwch *dinghy* rwber o Blas y Brenin i gludo aelodau'r tîm achub drosodd oherwydd bod y cob sy'n croesi'r llyn wedi'i orchuddio gan ddŵr. Mi gawson ni'r claf i lawr, a dod â fo drosodd at yr

1976, a'r Wessex newydd gyrraedd y Fali.
O'r chwith: John Dawson, y peilot Peter Begland a John Êl yn Nant Peris.

hofrenydd ar un o'r cychod. Ond y broblem rŵan oedd sut i helpu'r peilot godi a hedfan oddi yno yn ddiogel yn y tywyllwch. Yr ateb oedd defnyddio goleuadau ceir i ddangos y ffordd o'r cwm iddo. Roedd un o lorïau'r Llu Awyr wedi parcio yn yr olygfan ar y lôn i Nant Gwynant, efo golau melyn yn fflachio arni, ac ar y lôn i fyny am Ben-y-pàs o Ben y Gwryd, roedd nifer o geir heddlu wedi parcio bob hyn a hyn efo'u goleuadau glas yn pefrio, a cheir preifat efo'u goleuadau hwythau ymlaen er mwyn i'r peilot fedru dilyn cyfeiriad y lôn. Y syniad oedd bod yr hofrenydd yn codi o'r gwaelod, gweld golau'r lorri yn yr olygfan, a oedd yn arwydd pryd i ddechrau troi i'r chwith i ddod o'r cwm, ac yna byddai'n gweld goleuadau'r ceir yn mynd dros y Pàs, cyn pigo goleuadau Nant Peris a Llanberis i fyny yn y pellter a'i anelu hi wedyn am ysbyty'r C&A ym Mangor. Flt Lt

Peter Beglan oedd y peilot, ac mae'n rhaid i mi dynnu 'nghap iddo. Faswn i ddim wedi hoffi mentro gwneud yr hyn wnaeth o. Mae adrodd yr hanes fel hyn, ar bapur, yn gwneud iddo swnio fel digwyddiad digon syml, ond mewn gwirionedd mi gymerodd 80 o bobol ran yn yr achubiad, yn dimau achub mynydd a'r gwasanaethau brys, ac mi gymerodd saith awr i gyd – ond heb gymorth yr hofrenydd mi fuasai'n llawer iawn mwy na hynny.

Fel yr oeddwn i'n dweud, roedd teithio mewn hofrenydd wedi dod yn ail natur i ni, ac fel arfer doedd o'n poeni dim arnon ni. Ond roedd 'na un achlysur pan wnes i deimlo ychydig yn ofnus.

Roedd dringwr wedi disgyn ar Grib y Ddysgl i lawr am lwybr Pyg, ac roedd yr hofrenydd wedi glanio ym Mhen-y-pàs i 'nghodi i ac aelod arall o'r tîm, Phil Benbow. Almaenwr oedd y peilot, aelod o'r Luftwaffe oedd ar hyfforddiant yn y Fali. Mis Chwefror 1988 oedd hi, ac roedd hi'n dechrau tywyllu ddiwedd y pnawn a'r tywydd yn ddrwg – eira a gwyntoedd cryfion.

Fi yn cael fy ngollwng ar ben slym uchaf Cymru gan yr Wessex yn 1986!

Roeddan ni'n cael clustffonau er mwyn i ni glywed y criw yn siarad efo'i gilydd, ac mi gafodd y peilot a'r nafigator sgwrs a wnaeth i fy ngwaed i oeri braidd.

'I can't see where I'm going, there's snow on the inside of the windscreen,' meddai'r peilot.

'There's an escape route to your left,' meddai'r llall.

'Well, I'm going to the right,' atebodd y peilot.

'O blydi hel,' medda fi wrth Phil, a gafaelodd y ddau ohonan ni'n dynn yn ein seti.

Roedd yr hofrenydd yn cael ei chwythu'n ddidrugaredd, ac mi wnaeth y peilot yn dda i gadw rheolaeth arno. Ymhen munud neu ddau dyma fo'n gofyn, yn cŵl braf;

'Where do you want to go down?'

'Anywhere where there's bloody ground,' medda fi.

Mi gafodd y ddau ohonan ni ein gollwng efo'n gilydd ar y winsh, ac wrth wneud hynny cafodd yr hofrenydd ei chwythu'n agos iawn at y graig, ond unwaith eto mi wnaeth y peilot yn wych i rwystro damwain. Roeddwn i'n reit falch o gael fy nhraed ar dir solet unwaith eto, er bod yr amodau'n ofnadwy ar y mynydd.

Roedd y dringwr wedi llithro ar glwt o rew a disgyn tua 700 troedfedd, felly doedd hi ddim yn edrych yn dda. Mi gawson ni'n gollwng i lecyn tua 200 troedfedd oddi tano, a bu'n rhaid inni lusgo ein hunain ar hyd y tir mewn mannau am bod y gwynt mor gryf. Mi lwyddodd Phil a fi i gyrraedd y dringwr yn y diwedd, a chadarnhawyd ein hofnau gwaethaf. Roedd o wedi marw. Myfyriwr 20 oed oedd o, yn un o griw o glwb mynydda yn Yeovil, a'r aelodau eraill oedd wedi galw'r tîm achub. Ond yn y cyfamser roedd yr hofrenydd wedi gorfod dychwelyd i'r Fali oherwydd rhyw nam technegol, ac roedd yn rhaid inni ddisgwyl am weddill y tîm i'n helpu i gario'r corff i lawr. Ond chwarae teg i'r peilot – Sepp Wimmer – mi wnaeth o'n rhyfeddol y diwrnod hwnnw.

Y Wessex yn cael ei chodi o Lyn Padarn.

Mae rhai digwyddiadau yn debygol o aros efo chi am byth, ac mae'r ddamwain hofrenydd a laddodd dri o bobol ifanc yn Llyn Padarn ar 12 Awst 1993 yn un o'r rheiny. Roedd hi'n ddiwrnod di-fai o ran tywydd – braidd yn gymylog, ond dim rhy ddrwg – a doedd 'na ddim rhybudd o gwbl fod unrhyw beth am darfu ar y diwrnod. Ond tua chanol y prynhawn gwelodd cannoedd o ymwelwyr a thrigolion Llanberis un o hofrenyddion Wessex y Llu Awyr yn plymio i ganol Llyn Padarn. Mi glywais negeseuon ar y radio ym Mhen-y-pàs, a rhuthrais i lawr i weld fedrwn i helpu. Ro'n i ymhlith y cyntaf yno, ond erbyn i mi gyrraedd roedd 'na bobol oedd yn canŵio ar y llyn wedi dod â'r criw o dri i'r lan, ac un o'r pedwar cadet awyr oedd yn cael hyfforddiant ar yr hofrenydd y diwrnod hwnnw. Yn anffodus doedd 'na ddim ffordd o helpu'r tri cadet arall oedd yn dal ar fwrdd yr hofrenydd. Roedd nifer o lygad-dystion yn dweud nad oedd rotor ôl yr hofrenydd yn troi pan ddaeth o dros y llyn, a'i fod wedi dechrau cylchdroi'n ddi-reolaeth cyn plymio'n syth i'r dŵr. Daeth ymchwiliad y Llu Awyr i'r casgliad mai nam ar y rotor ôl oedd achos y ddamwain, a chafodd y Wessex ei ddisodli gan y Sea King yn fuan wedyn gan y Llu Awyr.

Codwyd coflech ger y llyn yn ddiweddarach i gofio'r cadetiaid: Amanda Whitehead, 17, Mark Oakden, 16, a Christopher Bailey, 15, pob un yn dod o gyffiniau Manceinion.

Winshman y Sea King.

Parc Cenedlaethol Eryri

- Mae dros 58% o boblogaeth Eryri yn siarad Cymraeg.

- Mae 14% o dai Eryri yn dai haf.

- Ceir 1,497 milltir o lwybrau cyhoeddus yn Eryri.

- Mae'r Parc yn 2,176 cilomedr sgwâr (840 milltir) – y mwyaf yng Nghymru.

- Eryri yw'r gwlypaf hefyd: Ar gyfartaledd mae'n cael rhwng 3000mm a 5000mm o law y flwyddyn. Ia, rhwng 3 a 5 metr, neu 10 i 16 troedfedd! Dros ddwbl y glaw sy'n disgyn ar lawr gwlad.

Tynnwyd y llun hwn yn Nant Peris tua 1973.
John Donnelly, winshman yr hofrenydd achub, sydd ym mlaen y llun,
a'r tu ôl iddo mae'r holl griw fyddai'n chwarae rhan mewn achubiadau
mynydd ar y pryd, o'r rhai a atebai'r alwad gyntaf i'r rhai a gludai'r claf
i'r ysbyty.

Pennod 13

Swyddfa ar yr Wyddfa

Roedd pob diwrnod yn wahanol, efo'i dywydd, ei heriau a'i broblemau newydd, a fedra i ddim meddwl am le gwell ar gyfer swyddfa na'r Wyddfa, hyd yn oed os ydi hi'n bwrw glaw yn aml yno. Wedi ei sefydlu yn 1951, Eryri ydi'r hynaf o'r tri pharc cenedlaethol sydd ganddon ni yma yng Nghymru. Arfordir Sir Benfro (1952) a Bannau Brycheiniog (1957) ydi'r ddau arall. Eryri ydi'r mwyaf, a'r gwlypaf, o'r tri hefyd, sy'n fy siwtio i'n iawn, achos dwi'n hoff iawn o gerdded a dydi'r glaw ddim yn fy

Canolfan y Wardeniaid a Mountain Rescue Post 77, sy'n gartref i Dîm Llanberis rŵan.

mhoeni ryw lawer, cyn belled â bod gen i ddillad addas.

Sefydlwyd y gwasanaeth wardeniaid yn 1961, a Gwilym Owen a Warren Martin oedd y ddau gyntaf i gyflawni'r swydd. Ar ôl i Warren adael y penodwyd John Êl. Mi ges inna gyfle i ymuno â'r tîm ar ddiwedd yr 1970au.

Yn dilyn ad-drefnu Llywodraeth Leol yn 1974, daeth y Parc yn rhan o Gyngor Sir Gwynedd, er ei fod yn penderfynu ar geisiadau cynllunio ar wahân. Daeth Awdurdod y Parc Cenedlaethol i fodolaeth yn 1996.

Dim ond tua 1.5% o'r tir o fewn ei ffiniau sy'n eiddo i'r Parc. Mae oddeutu 70% ohono mewn dwylo preifat, tra bod yr Ymddiriedolaeth Genedlaethol yn berchen ar tua 10%, Cyfoeth Naturiol Cymru yn berchen ar tua 16%, a'r 2.5% arall yn nwylo cyrff eraill.

Mewn ffordd, mae prif amcanion y parciau cenedlaethol yn creu gwrthdaro â'i gilydd: ar un llaw maen nhw'n gyfrifol am ddiogelu'r amgylchedd, bywyd gwyllt a diwylliant yr ardal, ac ar y llaw arall maen nhw'n ceisio annog mwy o bobol i ddefnyddio a mwynhau ein llefydd gwyllt. Ond mae hynny'n rhoi mwy o bwysau ar yr amgylchedd, y bywyd gwyllt a'r diwylliant! Ac wrth gwrs, mae amaethyddiaeth yn rhan bwysig o'r darlun – mae o wedi bod yn rhan annatod o Eryri ers canrifoedd, ac yn dal i fod.

Mater o gydbwysedd ydi o. Cadw'r ddysgl yn wastad rhwng pawb a phopeth, ac fel wardeniaid, roeddan ni'n ymwybodol iawn o hyn bob dydd.

Roedd 'na rywun bob amser yn gofyn y cwestiwn ynglŷn â'n rôl ni: oeddan ni yno i warchod pobol rhag y mynyddoedd 'ta gwarchod y mynyddoedd rhag y bobol? Roedd ambell un yn cwyno pan oeddan nhw'n gweld arwyddion neu hyd yn oed gamfeydd ar yr Wyddfa. Gormod o ymyrraeth, meddan nhw, a gormod o 'afael llaw' pobol oedd isio'r profiad o fod allan yn y gwyllt. Yn y diwedd penderfynwyd mai gwarchod y mynyddoedd oedd prif ddiben y parc, ond roedd ganddon ni ddyletswydd i hyrwyddo diogelwch hefyd. Cydbwysedd eto. Ac er bod nifer wedi cwyno pan godwyd cerrig mawr, fel meini hirion, i nodi lle mae rhai o'r prif lwybrau yn uno, dwi'n meddwl eu bod nhw'n syniad da, ac yn taro cydbwysedd perffaith. Maen nhw'n nodweddion amlwg ar y mynydd, ac yn ddefnyddiol iawn i gyfeirio pobol at y llwybr cywir neu fel cymorth i gyfeirio unrhyw achubwyr. Maen nhw hefyd yn gwbl naturiol,

Fi, John Dawson a Wil Penny yn gosod arwydd Sherpa ym Mhen y Gwryd yn nyddiau cynnar y gwasanaeth bws.

mewn ffordd, a ddim yn edrych allan o'u lle o gwbl ar y mynydd yn fy marn i.

Ar ôl i'r Tywysog Charles ddisgrifio'r adeilad ar gopa'r Wyddfa fel 'the highest slum in Wales', ryw dro tua chanol yr 1970au, dwi'n meddwl, mi gafodd y Parc Cenedlaethol bres o rywle i wneud ychydig o welliannau yma ac acw ac i gyflogi mwy o staff. Doedd 'na ddim digon o arian i wneud unrhyw beth sylweddol ynghylch slym uchaf Cymru ar y pryd, ar wahân i ychydig o waith cosmetig, a bu'n rhaid inni ei ddioddef am flynyddoedd wedyn nes i Hafod Eryri gael ei godi yn 2009.

Yn yr 1970au cynnar ro'n i wedi bod yn gwneud chydig o waith gwirfoddol i'r Parc yn fy amser sbâr. Mi fues i hefyd yn warden gwirfoddol am sbel, am fy mod yn mwynhau bod yn y mynyddoedd a'r awyr iach. Ond daeth cyfle i gael fy nghyflogi'n llawn amser gan y Parc pan grëwyd pedair swydd warden newydd.

Yr ail o Ebrill 1979 oedd fy niwrnod cyntaf efo'r Parc (o leia wnes i ddim dechrau ar ddiwrnod Ffŵl Ebrill!). Y pedwar warden newydd oedd Cyril Jones, Hywel Roberts, John Dawson a finna. Yn ogystal, sefydlwyd tîm o 25 o weithwyr stad – criw oedd mynd o gwmpas yn cynnal a chadw llwybrau a thrwsio waliau neu beth bynnag. Roedd 'na ddau Uwch-warden, Sam Roberts a Gareth Davies. Roedd ganddyn nhw ardaloedd penodol i edrych ar eu holau, ond roeddan nhw hefyd yn gyfrifol am oruchwylio'r wardeniaid eraill a'r rhai tymhorol. Prif Warden y Parc oedd John Êl, brodor o Flaenau Ffestiniog a mynyddwr brwd a medrus iawn, fel yr ydach chi eisoes wedi casglu, mae'n siŵr. Roedd Sam hefyd yn fynyddwr profiadol a medrus dros ben. Mae Sam a finnau'n fêts pennaf – Cofi ydi Sam, coblyn o foi diddorol, ac yn anturiwr o fri. Ar ôl gadael yr ysgol a gwneud cwpl o wahanol swyddi, penderfynodd ymuno â'r Royal Marines, lle cafodd gyfle – ymysg pethau eraill – i ddilyn ei brif ddiléit erbyn hynny, sef dringo mynyddoedd. Cael pàs gan griw o Marines wrth fodio wnaeth o, a nhw ddywedodd wrtho eu bod nhw'n cael mynd i ddringo yn aml. Dyna pam yr ymunodd â nhw. Ond ma' raid ei fod wedi gwneud argraff, achos dydyn nhw ddim yn cymryd rywun rywun! Ymunodd â'r Parc Cenedlaethol yn warden ar yr Wyddfa yn Nhachwedd 1973. Ychydig cyn iddo fo ymddeol yn 2010, cafodd Sam y syniad o darmacio rhan o lwybr y Mwynwyr o gwmpas Llyn Teyrn, fel ei fod yn addas ar gyfer cadeiriau olwyn. Roedd o'n rhan o ymgyrch o'r enw Mynediad i Bawb. Ond, wrth gwrs, roedd 'na lot o bobol (hunanol) yn erbyn hynny, ac yn gwneud pob math o sylwadau hurt, fel 'Next they'll want to put a lift up Everest'. Diolch byth, roedd llawer mwy yn gwerthfawrogi'r syniad. Oherwydd bod rhai wedi cwyno, mi es i eistedd ar ochr y llwybr un diwrnod a holi barn pobol, a doedd y rhan fwyaf ohonyn nhw ddim hyd yn oed wedi sylwi ei fod o yno. Felly diolch yn fawr, Sam.

Mae Sam wedi dringo yn yr Alpau, yr Andes, yr Himalayas a sawl man arall yn y byd, heb sôn am Gymru a'r Alban. Mae o hyd yn oed wedi bod o fewn tua 2,000 o droedfeddi i gopa Everest. Dwi wedi bod efo Sam yn dringo yn yr Alpau gwpwl o weithiau, ac ym Mharc Cenedlaethol Triglav yn Slofenia hefyd. Ond mae Sam yn dipyn mwy mentrus na fi, ac ers amryw o flynyddoedd bellach mae o wedi bod yn paragleidio ym mynyddoedd Eryri a thu hwnt. Hynny ydi, dringo mynydd a hedfan i lawr efo math o barasiwt tebyg i farcud. Pawb at y peth y bo. Mi sticia i at fy nwy droed dwi'n meddwl.

Mae Sam yn dipyn o longwr hefyd, fel y gwelwch chi o'r hanesion nesaf 'ma.

Mi ganodd y ffôn 'cw yn gynnar un bore:

Sam a finna efo un o wardeniaid Parc Cenedlaethol Triglav, Slovenia pan oeddan ni ar wyliau yn y wlad.

Yn ardal Mont Blanc ar un arall o'm gwyliau yn yr 80au.

Fi ar Mont Blanc.

'Is that the Rescue Service? There's been an incident.' meddai'r llais 'ma.

'Wat? Wêr? Wèn?' medda finna, cyn imi sylweddoli bod y llais yn un cyfarwydd. 'Sam, chdi sy 'na'r diawl?'

'Ia fi sy 'ma,' cadarnhaodd Sam. 'Wedi cael damwain fach! Fedri di helpu?'

Mae Sam yn dipyn o anturiwr, fel dwi wedi sôn, ac mae hwylio yn un o'i hoff gampau. Eglurodd ei fod wedi cychwyn am Enlli y diwrnod cynt yn ei gwch hwylio bach, GP 14. Yn ystod ei daith, cododd y gwynt yn sylweddol, ac oherwydd bod y llanw mor gryf yn y Swnt, mi dorrodd llyw y cwch. Ond mae Sam yn un da am addasu i unrhyw sefyllfa, ac wrth ddefnyddio rhwyf fel llyw dros dro a chodi hwyl fechan, mi fedrodd gyrraedd Trefor a glanio yno fel roedd hi'n gwawrio. Mi es i i dŷ Sam yng Nghaernarfon i nôl trelar, a'i gludo fo a'i gwch yn ôl i Dre.

Fel mae'n digwydd, nid dyna'r tro cynta iddo gael ei achub o'r môr, ac roedd Enlli yn berthnasol y tro hwnnw hefyd. Tua diwedd mis Gorffennaf 1961 roedd Sam, a oedd yn 18 ar y pryd, a'i ffrind, Eric Sweeney o Lanfaglan a oedd yn 16 oed, yn hwylio adra o Gei Newydd i Gaernarfon ar ôl pythefnos o wyliau ar gwch hwylio o'r enw *Salvador*. Twrnai o Dre oedd pia hi, I. Ap G. Hughes, neu Yappy fel roedd rhai yn ei adnabod. Roedd yr hogia ar y cymal olaf o Abersoch i Gaernarfon, ac yn mordwyo drwy Swnt Enlli pan ddaeth chwa cryf o wynt a thorri'r mast yn ei waelod. Syllodd y ddau yn syn wrth ei weld yn disgyn i'r môr. Roeddan nhw mewn dipyn o argyfwng rŵan, ond rhywsut, llwyddwyd i godi'r mast yn ôl ar y dec a'i glymu'n sownd. Wedyn, trwy ddefnyddio un o'r polion hwyliau fel mast, medrodd y ddau osod hwyl fechan ac i ffwrdd â nhw i geisio cyrraedd Porthdinllaen.

Ar ôl hwylio am ddwy neu dair awr daeth hofrenydd o'r Fali, a oedd wedi cael ei alw gan Wylwyr y Glannau o Uwchmynydd, ond pan welodd y criw bod y cwch dan reolaeth, a bron â chyrraedd ei nod, hedfanodd i ffwrdd eto. Ond fel yr oeddan nhw'n cyrraedd Porthdinllaen, daeth yn ôl a gollwng rhaff er mwyn eu towio'r 200 llath olaf. Cawsant fwyd a diod yn nhafarn Tŷ Coch, cyn i dad Eric ddod i'w nôl nhw i fynd adref. Ia, dipyn o antur, a dipyn o foi!

Ar ôl i mi fod yn y swydd am bum mlynedd penderfynodd y Parc dorri nifer y wardeniaid i ddau, a chollwyd deg o swyddi gweithwyr stad. Be wnaethon nhw oedd symud Hywel i ardal Cader Idris, ond wnaeth o ddim aros yno'n hir. Doedd dim angen warden yno, medda fo, am ei bod hi mor ddistaw yno bryd hynny, ac mi aeth i weithio i'r Cyngor Cefn Gwlad, fel ag yr oedd o. Newidiwyd swydd John Dawson i oruchwyliwr ar y gweithwyr stad. Rhannwyd y Parc yn ddau ranbarth, de a gogledd, efo John Êl yn Brif Warden y gogledd a Sam yn Uwch-warden, a Gareth Davies yn Brif Warden y de, a Dave Williams yn Uwch-warden efo fo, ac felly bu pethau tan i John Êl orffen efo'r Parc ar ddiwedd yr 1990au, pan wnaethpwyd i ffwrdd â swydd y Prif Warden a chreu swydd rheolwr yn ei le. Chafodd o ddim effaith ar fy swydd i, mewn gwirionedd. Yr unig wahaniaeth

Un o daflenni diogelwch yr Wyddfa.

oedd bod Sam a Gareth yn atebol i reolwr yn y swyddfa yn hytrach nag i John, fel Prif Warden.

Doedd 'na ddim ffasiwn beth â 'diwrnod gwaith arferol' i warden. Roedd pob diwrnod yn wahanol, ond yn y bôn dwi wastad wedi disgrifio'r warden fel brechdan jam – y ffermwyr neu'r tirfeddianwyr lleol yn un sleisen o fara, y twristiaid neu'r ymwelwyr yn un arall, a'r warden druan fel jam yn y canol yn ceisio cadw pawb yn hapus.

Mae amaethyddiaeth yn y Parc yn beth yr ydan ni'n ei gymryd yn ganiataol, mewn ffordd. Dydan ni ddim yn sylwi cymaint â hynny arno os ydi popeth yn mynd yn iawn, a'r 'frechdan' honno'n weddol hapus ei byd. Ond os oes rhywbeth yn drysu'r cydbwysedd, lwc owt.

Does dim wedi tynnu mwy o sylw at ddylanwad amaethyddiaeth yn Eryri na'r achos o glwy'r traed a'r genau a darodd y wlad ym mis Ionawr 2001. Roedd gwaharddiad ar symud stoc, ac yna dechreuwyd difa anifeiliaid i geisio rhwystro'r clwy rhag lledaenu. Caewyd pob llwybr cyhoeddus drwy'r wlad hefyd, yn cynnwys llwybrau'r Wyddfa, o fis Chwefror i fis Mai. Pan oedd y llwybrau wedi cau, roedd yn rhaid i'r wardeniaid fod ar waelod pob un i rwystro pobol rhag mynd ar y mynydd. Pan gawson nhw eu hailagor ym mis Mai, gosodwyd matiau efo diheintydd arnyn nhw, ac roedd y wardeniaid gwirfoddol wedyn yn gorfod bod o gwmpas i wneud yn siŵr bod pobol yn eu defnyddio. Roedd o'n gyfnod digon anodd i bawb a dweud y gwir, yn arbennig i'r ffermwyr, ond roedd camau o'r fath yn hanfodol i drechu'r clwy.

Mae codi i fynd i'r gwaith mewn rhyw swyddfa lychlyd yn boen ddyddiol i nifer fawr o bobol, ond fedra i ddim cynnwys fy hun yn eu plith. Gan mai ym Mhen-y-pàs yr oedd ein swyddfa ni, doeddwn i byth yn teimlo fel'na.

Mae ôl llaw dyn i'w gweld ym mhobman ar y mynydd, o'r

Gosod matiau gwrth-haint yn ystod cyfnod Clwy'r Traed a'r Genau yn 2001.

Hofrenydd Hiller yn codi cerrig mân i fyny i adnewyddu llwybr Llanberis.

hen weithfeydd copr yng nghyffiniau Llyn Llydaw i bibell cynllun trydan-dŵr Cwm Dyli. Ar ben hynny, mae'n anodd iawn osgoi'r rheilffordd sy'n mynd i fyny'r mynydd o Lanberis, heb sôn am adeilad Hafod Eryri ar y copa. Serch hynny, mae'n amlwg mai natur ydi'r bòs yma.

Mae'r Wyddfa'n dal yn dirlun gwyllt, ac yn warchodfa natur genedlaethol, yn bennaf oherwydd y planhigion Alpaidd prin sy'n tyfu yno, megis Lili'r Wyddfa. Mae hynny – a'r ffaith fod y mynydd yn rhan o Barc Cenedlaethol Eryri – yn cyfyngu cryn dipyn ar unrhyw ddatblygiadau niweidiol. Mae angen bod yn ofalus iawn nad ydi poblogrwydd y lle yn amharu arno a'i ddifrodi, felly mae angen cadw rheolaeth, a chadw'r ddysgl yn wastad rhwng y gwahanol garfanau sy'n defnyddio'r mynydd mewn gwahanol ffyrdd, fel y ffermwyr a'r cerddwyr, y mynyddwyr a'r twristiaid – a'r bobol leol, wrth gwrs. Mae mwy

Gruff Owen, Gafyn Buckley ac Iwan Arnold yn gosod arwydd ym Mwlch y Moch i atal pobol rhag cymryd y llwybr anghywir i fyny i Grib Goch yn hytrach na'r llwybr i ben yr Wyddfa.

o bobol yn dringo'r Wyddfa bob blwyddyn nag unrhyw fynydd arall ym Mhrydain, felly cydbwysedd ydi'r gair mawr. Gan fod yr Wyddfa 1,085 metr neu 3,560 o droedfeddi uwchlaw lefel y môr, mae'n atyniad naturiol ac yn dod â miliynau o bunnau i economi'r wlad, ond ar y llaw arall mae poblogrwydd y mynydd yn achosi problemau. Mae'r holl bobol sy'n troedio i'r copa bob blwyddyn, a'r ffaith fod y mynydd yn cael tua 200 modfedd o law yn flynyddol, yn cael coblyn o effaith, ac mae cynnal a chadw'r llwybrau yn wyneb erydiad yn rhan fawr a chostus o'r gwaith rheoli.

Mae tua 500,000 yn cyrraedd y copa bob blwyddyn bellach (mae tua 60,000 o'r rheiny yn mynd i fyny ar y trên bach, yr

unig reilffordd rhac a phiniwn cyhoeddus ym Mhrydain) ac mae'r ymwelwyr hyn yn cael eu denu yma o bell ac agos ers y 18fed ganrif o leiaf. O'r dyddiau cynnar mae pobol leol wedi manteisio ar hynny, gan ddarparu lluniaeth ar eu cyfer. Pan agorodd y lein bach yn 1896 roedd dau westy ar y copa, a mannau eraill yn is i lawr i gael paned a ballu, fel caffi Moses Williams.

Diwrnod o hwyl i griw o wardeniaid:
'staff training' ar afon Tryweryn yn y 90au.

Pennod 14

Cynnal a Chadw

Yn y dyddiau cynnar, cyn inni gael swyddfa ym Mhen-y-pàs, cwt yn Nant Peris oedd pencadlys wardeniaid y Parc, ond roedd Pen-y-pàs yn llawer gwell i ni am ei fod yn fwy canolog, ac am fod rhai o'r prif lwybrau i ben yr Wyddfa yn cychwyn yn fanno. Roedd y dyletswyddau sylfaenol, oedd yn cael eu gwneud yn ddi-ffael bob dydd neu bob wythnos, yn cynnwys gosod arolygon y tywydd ar fyrddau hysbysebu ar ddechrau pob un o'r prif lwybrau. Pan oedd hi'n dywydd drwg, yn enwedig eira a rhew, roedd mynd i fyny i gael golwg ar gyflwr y llwybrau yn un o'r tasgau rheolaidd hefyd. Gyda llaw, mae'r Wyddfa yn cael llawer llai o eira y dyddiau yma nag y byddai. Mae'r arbenigwyr yn amcangyfrif fod y mynydd yn cael llai na hanner yr eira a oedd yn disgyn yn yr 1990au, a dim ond ar y 200 metr uchaf y mae'n dueddol o aros rŵan. Effaith newid hinsawdd, mae'n debyg.

Roedd diffodd tanau yn rhan o ddyletswyddau warden pan ddechreuais i weithio i'r Parc. Bu sawl tân coedwig yn ystod fy hafau cyntaf yn y swydd, ac roeddan ni'n gorfod aros ar waelod ffyrdd yn y coedwigoedd i rwystro pobol rhag mynd yn agos at y fflamau. Dwi'n cofio tân drwg yn ochrau Capel Curig – mi fu'n rhaid i ni fynd yn ôl i fanno am ddyddiau wedyn i wneud yn siŵr nad oedd neb yn defnyddio'r lonydd coedwig. Roedd 'na un arall ochrau Nant Bwlch yr Haearn, ger Betws-y-coed hefyd. Mewn achosion fel hyn, roeddan ni'n gorfod torri coed er mwyn rhwystro'r tanau rhag lledu, oedd yn waith caled ofnadwy. Drwy lwc fu dim rhaid i mi wneud hynny am hir iawn, dim ond rhyw ddau dymor, wedyn mi dynnwyd y dyletswydd hwnnw oddi arnon ni.

Roedd rhan fawr o waith warden yn ymwneud â bod allan ar y mynydd yn cadw golwg ar gyflwr y llwybrau i weld a oedd angen gwneud gwaith cynnal a chadw, neu osod arwyddion a chodi camfeydd. Roeddan ni hefyd yn cynghori pobl, a mynd rownd i siarad efo'r ffermwyr lleol i gyd yn eu tro er mwyn rhoi cyfle iddyn nhw godi unrhyw bryderon neu gwynion. Weithiau byddai cerddwyr wedi bod yn mynd dros ffensys neu waliau, gan achosi difrod. Wedyn y cwestiwn fyddai, 'Oes 'na obaith cael camfa yn lle-a'r-lle, Aled?' Mae'n bosib y basan ni'r wardeniaid yn gofyn yr un cwestiwn i'r ffermwr hefyd.

Roedd rhai pobl yn malu ffensys i wneud lle i'w cŵn fynd drwodd os nad oeddan nhw'n gallu dringo'r gamfa, neu os oedd y ci yn rhy drwm i'w godi drosti. I daclo'r broblem honno mi

Agoriad swyddogol giât a gynlluniwyd gan Joe, mab Sam Roberts, ar y llwybr sy'n arwain o Fwthyn Ogwen i fyny at Gwm Idwal.

ddechreuon ni osod giatiau bach ar gyfer cŵn wrth ochr rhai o'r camfeydd.

Y gweithwyr stad oedd yn gwneud y rhan fwyaf o'r gwaith caled – neu ella mai'r gwaith trwm ddylwn i ddweud, achos roeddan ninnau'n gweithio'n ddigon caled hefyd, i chi gael dallt! Yn aml iawn roeddan ni'n cael cymorth gan griw o wirfoddolwyr, ac o ganlyniad byddai'n rhaid i ni fod allan efo nhw yn goruchwylio neu'n egluro be oedd angen ei

Giât Joe Roberts.

wneud ac yn y blaen. Roedd hynny'n digwydd yn reit aml yn y dyddiau cynnar. Ond yr adeg honno roedd angen lot o waith ar y llwybrau. Roedd nifer ohonyn nhw wedi erydu'n sylweddol ac mewn cyflwr gwael iawn – cymysgedd o effeithiau'r tywydd ac ôl traed y miloedd cynyddol o bobol oedd am ddringo'r Wyddfa.

Unwaith y dechreuwyd codi ffensys i rwystro defaid rhag crwydro, mi waethygodd y broblem erydu. Er enghraifft, ddywedwn ni bod ffermwr yn codi ffens mewn un lle, ac yn codi un arall ymhellach ymlaen. Roeddan ninnau'n rhoi camfeydd yno rhag i bobol ddringo'r ffensys, ond be oedd yn digwydd wedyn oedd bod pobol yn cerdded mewn llinell, o gamfa i gamfa, ac yn troi tir glas yn foel mewn byr amser. Hynny ydi, roedd pawb yn dilyn yr un llwybr wedyn, yn hytrach na fel yr oedd hi pan oedd y mynydd yn agored, pan oeddan nhw'n mynd i ble fynnon nhw, mewn ffordd. Roedd John Êl wedi dechrau mynd i'r afael â'r broblem hon ers iddo gychwyn efo'r Parc.

Roedd cymorth gwirfoddolwyr neu ffrindiau yn

Milwyr y gwarchodlu Cymreig yn rhoi help llaw i ni i gario polion ffens i fyny i Foel Goch.

amhrisiadwy, ac yn aml iawn roeddan ni'n gallu galw am gymwynas gan hwn a'r llall. Roedd hyn yn hwyluso'r gwaith i'r gweithwyr stad a'r wardeniaid, ac yn arbed arian hefyd, fel bod modd trwsio mwy o lwybrau. 'Helpwch chi ni ac mi helpwn ni chithau' – felly oedd hi, mewn ffordd. Roedd cyrff fel yr heddlu a'r fyddin, a hyd yn oed y llynges yn dod i Eryri i ymarfer, ac roeddan ni'n eu cynghori nhw ac yn helpu ym mhob ffordd ymarferol. Weithiau roedden ni'n eu hachub nhw hefyd, fel yn achos y milwr ifanc o'r RAMC yn soniais amdano. Fel ffordd o ddiolch, ac fel rhan o'u hymarferion, roeddan nhw'n rhoi diwrnod o waith i ni, ac yn dod â'u hoffer a'u harbenigedd yn eu sgil. Er, doedd yr arbenigedd hwnnw ddim yn gweithio'n berffaith bob tro, fel mae'r hanesyn nesaf yn ei ddangos.

Roedd y fyddin yn ein helpu ni ger hen felin Britannia ar lwybr y Mwynwyr un tro, a dyma nhw'n cynnig ffrwydro ryw garreg anferth oedd ar y ffordd, braidd.

'Mi chwalwn ni'r garreg i chi, dim problem,' meddai'r sarjiant 'ma.

'Gwych,' meddan ni. Y bwriad oedd malu'r garreg fel bod gynnon ni gerrig llai fyddai'n ddefnyddiol ac yn haws eu trin, a dyma'r sowldiwrs yn mynd ati i ddrilio tyllau yn y graig i gymryd y ffrwydron. Aeth pawb i guddio'n ddigon pell i ffwrdd, a dyma'r glec anferthol 'ma'n atsain dros bob man, a cherrig mân yn hedfan i bob cyfeiriad, y rhan fwyaf ohonyn nhw i ddyfroedd Llyn Llydaw. Aethon ni draw i weld y garreg, ond y cwbl oedd ar ôl ohoni oedd twll yn y ddaear! Roedd hi wedi'i chwalu'n gerrig mân, ac mi fu 'na dipyn o chwerthin a thynnu coes wedyn. Roedd o'n atgoffa rhywun o'r ffilm *The Italian Job*, pan mae'r fan oedd yn cario'r pres yn cael ei chwythu i ebargofiant, ac mae Michael Caine yn dweud 'you were only supposed to blow the bloody doors off!'.

Edrych i lawr crib dwyreiniol yr Wyddfa.

Mi ddaeth 'na hofrenydd a chriw o Lu Awyr yr Unol Daleithiau acw un tro i'n helpu ni hefyd. Er mwyn glanio, mae hofrenydd yn gorfod hedfan i mewn i'r gwynt, ac roeddan ni bob amser yn ei geidio fo i lanio efo'r gwynt i'n cefnau. Ond gollwng bom mwg allan oedd dull yr Americanwyr, ac roeddan nhw'n gweld o hwnnw o ba gyfeiriad yr oedd y gwynt yn chwythu. Ar y diwrnod arbennig hwnnw, dyma un o'r Americanwyr yn troi ataf a gofyn:

'Have you got a smoke?'

'No,' medda fi, ac ar hynny dyma un arall o'r hogia, John Farrell, yn estyn paced o sigaréts Park Drive o'i boced a dal y bocs o dan drwyn yr Americanwr, gan feddwl mai isio sigarét yr oedd o! Mi sbïodd y boi'n wirion arno fo, ac mi fuon ni'n tynnu coes John am hir wedyn, yn gofyn, 'Fel'na mae'r fyddin yn glanio hofrenyddion, ia? Efo mwg sigarét, ia?'

Un o Gaernarfon ydi John ac mae o wedi bod yn aelod o'r Fyddin Diriogaethol ers pan oedd o'n hogyn ifanc. Sy'n fy atgoffa o stori arall ...

Roedd 'na griw o'r fyddin yn ein helpu ym Mhen-y-pàs un tro, a dyma un o'r hogia, Cyril Jones, yn gofyn i un ohonyn nhw, 'What unit are you from?'

'SAS,' atebodd, a dyma Cyril yn prysuro i ddweud wrth y gweddill, tan iddo fo weld y sowldiwrs yn chwerthin. 'SAS – Saturdays and Sundays,' medda'r boi, gan egluro mai efo'r Fyddin Diriogaethol yr oedd o.

I fynd yn ôl at y pwnc, mi ddaeth gweithwyr y Parc yn dipyn o arbenigwyr ar wneud llwybrau. Mae'n rhaid i lwybr fod yn fwy cyfforddus na'r hyn sydd bob ochr iddo, neu mae pobol yn mynd i gerdded oddi ar y llwybr a gwaethygu'r broblem erydu. Dwi'n cofio mynd i fyny i Keswick yn Ardal y Llynnoedd ar gwrs, a chlywed rhywun yn fanno yn dweud ei fod wedi 'darganfod' bod gosod cerrig yn fflat, fel pafin, yn gweithio'n dda. Roeddan ni wedi bod yn defnyddio'r dull hwnnw ers oes!

Roeddan ni'n trio gwahanol bethau i weld be oedd – a be oedd ddim – yn gweithio. Mi wnaethon ni drio defnyddio gro o'r llynnoedd i'w roi ar wyneb y llwybrau ond roedd o'n rhy lân ac yn cael ei olchi i ffwrdd gan y glaw. Roedd llwch llechi yn asio'n llawer gwell ac yn aros yn ei le gan fod mymryn o faw arno! Mewn nifer o lefydd doedd 'na ddim gobaith o gael offer mecanyddol i'n helpu ni i symud y cerrig anferth yr oeddan ni'n eu defnyddio ar y llwybrau, ac mewn sefyllfaoedd felly roeddan ni'n defnyddio winsh law i'w symud nhw. Roedd honno'n broses oedd yn golygu dipyn o waith paratoi a chymorth trosolion, a boncyffion neu stanciau crwn i rowlio'r garreg os oedd hynny'n bosib – a help bôn braich, wrth gwrs. Ond heb y winsh mi fasa'n dasg amhosib, bron ... er, mi lwyddodd ein cyndeidiau i godi Côr y Cewri heb ddim byd ond nerth bôn braich a synnwyr cyffredin, yn do?

Hofrenydd Lynx y fyddin yn helpu i godi deunydd i adnewyddu'r llwybrau tra oeddan nhw'n hyfforddi yn Eryri.

Mi fyddai'r llynges yn rhoi benthyg eu hofrenydd i ni am ddiwrnod weithiau. Roedd hynny'n werthfawr iawn i ni, achos roedd hofrenyddion preifat yn costio miloedd i'w llogi. Roeddan ni'n cael cymorth lein bach yr Wyddfa i gario gêr weithiau hefyd, os oedd hynny'n ymarferol. Ond yn aml iawn roedd wardeniaid yn gorfod cario stwff eu hunain. Roedd angen dau ohonon ni i godi camfa, ac roeddan ni'n cario'r offer i gyd efo ni: hanner camfa bob un, a'r tŵls hefyd. Roedd hynny'n cymryd o leiaf hanner diwrnod fel arfer.

Fi ar gopa de-ddwyreiniol Grib Goch yn 1982.

Pennod 15

Job Beryg

Oherwydd toriadau ariannol i gyllideb y Parc, flwyddyn ar ôl blwyddyn, mae rôl y wardeniaid wedi newid ac maen nhw'n fwy caeth i'w desgiau bellach nag yr oeddan nhw yn fy amser i. Maen nhw'n dal i fynd allan i sgwrsio efo'r ffermwyr yn y cylch, gosod arwyddion a chamfeydd, a chadw golwg ar gyflwr y llwybrau. Ond roeddan ni'n dueddol o dreulio llawer mwy o'n hamser allan ar y mynydd nag y maen nhw heddiw. Bod yn weladwy, bod yno i gynghori a chadw llygad, a bod yno i helpu, yn y bôn. Roeddan ni bob amser i fyny yn y topiau 'na, neu o gwmpas Pen-y-pàs yn gynnar yn y bore, yn siarad efo pobol a'u cynghori nhw, ac roedd drws y swyddfa yn agored bob amser. Ond mae'r Parc wedi tynnu hynny i ffwrdd oddi wrth y wardeniaid erbyn heddiw, ac mae'r swydd wedi newid yn llwyr. Dydi'r ochr ddiogelwch ddim mor amlwg yn fy marn i, ac mae hynny'n rhywbeth sy'n agos iawn at fy nghalon – wedi'r cwbl, mae rhwystro damwain yn llawer gwell na gorfod achub rhywun.

Pan oeddwn i'n gorffen gweithio yn 2011 roedd 'na tua 70 o ddamweiniau ar yr Wyddfa bob blwyddyn y byddai Tîm Achub Llanberis yn delio efo nhw. Fel wardeniaid y Parc, roeddan ni'n delio efo tua 30 o rai eraill, felly, yn fras iawn roedd 'na tua 100 o ddigwyddiadau bob blwyddyn ar y pryd. Erbyn heddiw mae 'na dros 200, ac mae'r ffaith nad ydi'r wardeniaid allan gymaint ag yr oeddan ni yn gorfod bod yn un o'r rhesymau am hynny, yn fy marn i. Oes, mae 'na fwy o bobol yn mynd i fyny'r

mynyddoedd, ond dwi'n siarad efo hogia lein bach yr Wyddfa pan fydda i'n mynd am dro, ac maen nhw i gyd yn dweud yr un peth wrtha i: "Dan ni ddim wedi gweld warden ers i ti a Sam roi'r gorau iddi.' Mae'r wardeniaid yn gweithio mwy wrth eu cyfrifiaduron y dyddiau yma. Mae technoleg wedi symud ymlaen, arferion pobol wedi newid, a phawb, bron, yn defnyddio'u ffonau symudol i bob dim rŵan, felly mae modd cael negeseuon allan i'r cyhoedd yn gyflym iawn drwy Facebook a Twitter ac ati. Mae hynny'n berffaith iawn, wrth gwrs, ond dydi pawb ddim yn defnyddio'u ffonau fel yna, a ddylai neb ddibynnu'n llwyr ar dechnoleg chwaith. Yn yr oes ddigidol, mae'r hen arferiad o ddelio wyneb yn wyneb efo pobol – y *meet and greet* – wedi newid. Heddiw mae'r Parc yn buddsoddi a chanolbwyntio ar roi gwybodaeth ar y we. Da neu ddrwg, gwell neu waeth? Gewch chi benderfynu, neu fel y dywedodd yr hen Wil Shakespeare, 'There is nothing either good or bad but thinking makes it so'. Hynny ydi, mae rhai'n ei weld o fel rhywbeth da ac eraill yn ei weld o fel arall.

Erbyn hyn mae'r Parc, ar y cyd efo'r Cyngor Mynydda

Fi, Cyril a Sam tu allan i Swyddfa Pen-y-pàs, 1990.

Prydeinig a Chyfoeth Naturiol Cymru, wedi lansio gwefan newydd Wyddfa Fyw – Mentra'n Gall (Snowdon Live – Be AdventureSmart), sy'n cynnwys gwe-gamera neu gyswllt fideo byw i bobol weld drostynt eu hunain sut mae'r tywydd ar yr Wyddfa. Mae 'na nifer o wasanaethau eraill ar y safle hefyd, yn cynnwys gwybodaeth gynhwysfawr am y tywydd ac yn y blaen, a nifer o wefannau eraill yn cynnig newyddion a lluniau tebyg. Felly does 'na ddim esgus dros gael eich dal allan.

Roeddan ni'n nodi ar yr adroddiadau hyn y llefydd fyddai'n beryglus i'r cerddwr cyffredin yn hytrach na dringwyr.

Mae gwaith warden yn aml iawn yn golygu rhag-weld problem cyn iddi godi, felly roedd ganddon ni driciau bach i'n helpu ni. Mae cerddwyr, neu deuluoedd yn aml iawn, yn gwneud cynlluniau pendant ar gyfer eu diwrnod, ac maen nhw'n gyndyn iawn o adael i dywydd drwg eu rhwystro nhw. Efallai eu bod nhw wedi trefnu'r ymweliad ers peth amser ac wedi teithio o bell i ddod yma, felly mae'n hawdd deall pam eu bod nhw'n cario mlaen waeth beth fo'r tywydd, hyd yn oed pan fo synnwyr cyffredin yn dweud fel arall yn aml iawn. Fedran ni ddim rhwystro pobol rhag mynd i fyny ar dywydd drwg – y cwbl fedran ni'i wneud ydi rhoi cyngor iddyn nhw.

Un o'r cwestiynau oeddan ni'n ei gael yn aml iawn oedd 'What time is it going to start raining?' A'n hateb ni fel arfer oedd, 'Oh, about five past two.' Ateb yr un mor hurt â'r cwestiwn. Ac eto ... doedd o ddim mor wirion â hynny. Yn Eryri, mi sylwch chi ei bod hi'n aml iawn yn cymylu yn y bore, ond

Pobol ar Grib Goch ar ddiwrnod braf.

dydi hi ddim yn dechrau bwrw tan tua dau o'r gloch y pnawn. Mae'n swnio'n od, a dydi o ddim yn digwydd bob tro, wrth gwrs, ond mae o'n ffenomen y mae llawer wedi sylwi arni. Mi oedd hi'n jôc gynnon ni, achos roedd y rhagolygon o hyd yn sôn am 'rain later', a dyna pam yr oedd pobol yn gofyn faint o'r gloch yr oedd hi am ddechrau bwrw!

Roedd y rhan fwyaf o bobol yr oeddan ni'n delio efo nhw yn champion, ond fel ym mhob maes, mae 'na ambell un sy'n mynnu gwneud bywyd yn anodd i chi. Mae un digwyddiad yn cloriannu hynny'n berffaith ynglŷn â gwaith warden.

Mi ges i alwad ffôn o Gaffi Pen y Ceunant un diwrnod, yn dweud bod 'na gi wedi lladd dafad. Roedd rhywun wedi mynd â'r ci i'r caffi, sydd wrth ochr llwybr Llanberis i fyny'r Wyddfa, ac roedd y ddynes oedd bia fo wedi troi i fyny ac yn mynnu cael y ci yn ôl.

'Problem i'r heddlu ydi hi go iawn,' medda fi, 'ond mi ddo i i lawr yna rŵan i weld os fedra i helpu.' Cadw'r ddysgl yn wastad, 'te?

Mi fuon ni'n trafod am dipyn, ac ro'n i'n meddwl 'mod i wedi gwneud joban reit dda yn sortio'r broblem allan. Roedd y ddynes yn fodlon talu am y ddafad gafodd ei lladd, ac mi gafodd hithau ei chi yn ôl. Roedd y ddwy ochr yn mynd adra'n hapus. Neu felly'r oeddwn i'n meddwl.

Bythefnos wedyn roedd Gareth Davies, Uwch-warden de'r Parc, yn digwydd bod yn Llanberis. Roedd o wedi mynd i siop i chwilio am damaid o fwyd i ginio, ac wedi parcio'i fan tu allan. Yn sydyn dyma rhywun yn dod i fyny ato fo a dweud: 'Esgusodwch fi, ond mae 'na ddynes newydd ddod allan o'r dafarn dros ffor' a sticio cyllell yn eich teiar chi, ac mi welis i hi wedyn yn lluchio'r gyllell i'r afon.'

Rhuthrodd Gareth allan i weld be oedd yn mynd ymlaen, a gweld bod un o'i olwynion yn fflat. Galwodd yr heddlu, ac mewn dim mi gafodd y ddynes ei harestio. Pwy oedd hi ond y ddynes oedd bia'r ci laddodd y ddafad, yn meddwl mai fy fan i oedd hi! Yn amlwg, doedd hi ddim mor hapus â hynny efo'r trefniant wedi'r cwbl. Mi ges i sioc pan glywais gan Gareth wedyn mai dim ond £70 o *fixed penalty* gafodd hi yn gosb.

Y maen tal ar dop y zig zags, Bwlch Glas, yn yr haf ac wedi ei gladdu gan eira isod.

Pennod 16

Hiwmor y crocbren

Pan mae pobol yn gorfod gwneud gwaith anodd fel achub mynydd, a delio'n rheolaidd efo trychineb a marwolaeth, mae hiwmor yn chwarae rhan hollbwysig. Mewn sefyllfaoedd brawychus felly, mae tîm o bobol yn dueddol o ysgafnhau pethau pan mae 'na gyfle i wneud hynny. Fel arall, mi fasan nhw'n mynd o'u coeau yn sydyn iawn. Ac oherwydd natur y gwaith a meddylfryd tîm, mae'r hiwmor yn gallu bod yn gignoeth ac yn dywyll – hiwmor y crocbren go iawn.

Dwi'n cofio un Gŵyl y Banc ym Mhen-y-pàs, coblyn o ddiwrnod poeth a hithau'n tynnu at bedwar o'r gloch y prynhawn a finna bron â gorffen fy shifft. Dyna pryd mae pethau'n mynd o'i le fel arfer! Pwy oedd yn dod i lawr llwybr y Mwynwyr ar dipyn o frys ond John Grisdale, ysgrifennydd Tîm Achub Mynydd Llanberis a chyn-brifathro Ysgol Brynrefail.

'Peidiwch â mynd adra, hogia,' medda fo, 'dwi newydd ddod o hyd i gorff, a dwi ddim yn gwybod be ydi o achos does 'na ddim pen arno fo.'

Argian fawr! Galwyd yr heddlu, ac mi aethon ni yn ôl efo fo at y corff. Roedd o wedi pydru dipyn go lew, ac roedd o'n amlwg wedi bod yno ers peth amser. Ar ôl ei gario i lawr mewn bag anafiadau, cafodd ei drosglwyddo i ddwylo'r heddlu a dechreuwyd yr ymchwiliad. Dynes oedd hi, a fu'r heddlu ddim yn hir iawn yn canfod pwy oedd hi. Roedd hi wedi dweud wrth ei theulu ei bod hi'n mynd i gerdded 'somewhere in Wales' rai misoedd ynghynt. Dyna'r unig wybodaeth oedd hi wedi ei roi

Brian Jones, warden Ogwen a'r Carneddau ac aelod o Dîm Achub Mynydd Llanberis.

Now Thomas, y plismon, a fi (heb helmed!). Mi welwch ben John Jackson yng ngwaelod y llun. Mae crib Lliwedd yn y cefndir – dyma'r diwrnod pan ddarganfuwyd y corff heb ben.

iddyn nhw. Rŵan, roedd y Crwner isio i ni ganfod pen y ddynes druan, ac aethpwyd â chŵn i fyny yno, ond chawson nhw mohono fo.

Dipyn ar ôl hyn yn mi ddigwyddodd Sam ddod ar draws y pen wrth wneud rhyw joban arall, ond doedd ganddo ddim byd efo fo i'w gario fo, heblaw am y bag oedd yn cynnwys ei frechdanau ar gyfer amser cinio. Doedd dim amdani ond defnyddio hwnnw – ar ôl bwyta ei ginio, wrth gwrs. I lawr â fo wedyn efo'r bag, gan basio criw o weithwyr stad y Parc oedd yn gweithio wrth ymyl hen felin Britannia ar lan Llyn Llydaw. Dyma un ohonyn nhw'n gwneud y camgymeriad mawr o holi;

'Be 'sgin ti'n y bag 'na, Sam?' Wnaeth Sam ddim lol ond rhoi'r bag iddo fo heb ddweud gair, ac mi gafodd y co' dipyn o sioc o weld ei gynnwys! Aed â'r pen i lawr i ganolfan y Parc yn

Nant Peris a ffonio'r heddlu. Pwy ddaeth i fyny ond PC Now Thomas, coblyn o gymeriad.

'Lle mae o?' medda fo wrth Sam, a dyma ddangos y bag iddo fo.

Edrychodd Now ynddo, a'i ymateb oedd, 'Blydi hel! Be wna i rŵan? Roeddan nhw'n claddu ei chorff hi bore 'ma!'

Mi oedd 'na gartŵn ar wal swyddfa'r wardeniaid ym Mhen-y-pàs am flynyddoedd yn dilyn digwyddiad ym Mwlch y Rhediad, ar lwybr sy'n mynd o Nant Gwynant i Ddolwyddelan. Roedd y tîm achub wedi cael ei alw i helpu rhyw greadur oedd mewn trafferthion. Na, nid person oedd o, ond ci! Un mawr blewog, ac roedd o'n drwm ofnadwy. Roedd hi'n ddiwrnod poeth, ac os dwi'n cofio'n iawn, wedi blino'n llwyr oedd y ci, ac yn methu mynd gam ymhellach, felly roedd ei berchennog wedi galw am gymorth. Doedd dim amdani ond ei roi ar strejiar. Gafaelodd John Êl yn un pen y strejiar, a Cledwyn Jones yn y pen arall ... ond roedd John yn wynebu un ffordd a Cled y ffordd arall! Yn y cartŵn roedd un yn dweud 'Ffor' hyn, co',' a'r llall yn ateb 'Naci, ffor' hyn!' tra oedd y ci'n dweud, 'Mi gerdda i, dwi'n meddwl!'

Un da ydi Cled. Roedd o'n gweithio mewn becws yn Llanberis i ddechrau, wedyn mi fuodd o'n yrrwr trenau efo cwmni lein bach yr Wyddfa cyn mynd i weithio efo'r gwasanaeth ambiwlans, ac roedd o hefyd yn warden gwirfoddol efo'r Parc cyn mynd yn ôl i weithio fel giard rhan amser ar y lein bach ar ôl ymddeol. Mae 'na nifer o straeon yn dod i'r cof amdano, a dwi'n siŵr na fydd o'n meindio rhyw lawer os y gwna i eu rhannu nhw efo chi.

Ro'n i ar y radio yn Nant Peris, ac wedi galw'r hofrenydd i gynorthwyo mewn rhyw ddigwyddiad. Roedd o wedi glanio unwaith i godi rhai o'r tîm, ac ro'n i wedi bod allan yn goleuo'r cae efo lamp er mwyn i'r peilot weld lle i lanio, gan ei bod hi'n

Sam yn ymddeol, Pen y Ceunant, Gorffennaf 2009: John Grisdale, Gruff Owen, John Ellis Roberts, Gafyn Buckley, Iwan Arnold, Gareth Jones, Dave Chapman, Iwan Davies, John Lloyd, Rhys Hughes, Hefin Jones. Rhes flaen, chwith i dde:- Alan Pritchard, Joe Roberts, fi, Sam Roberts, Meirion Thomas, Cledwyn Jones, John Moriarty, Raymond Williams.

dywyll. Pan ddaeth o'n ôl i godi mwy ohonon ni dyma fi'n gofyn i Cled fynd allan i oleuo'r cae y tro hwn, ac allan â fo. Y peth nesa glywais i oedd y peilot ar y radio'n dweud, 'Switch that bloody light off, I can't see a thing!' 'fatha Mr Hodges, y warden ARP blin ar *Dad's Army*. Roedd Cled wedi sgleinio'r golau ar yr hofrenydd, ac roedd y peilot yn gwisgo offer gweld yn y tywyllwch (*night vision goggles*) felly doedd 'na ddim rhyfedd ei fod wedi ymateb fel y gwnaeth o.

Tua diwedd yr 1970au, cafodd y tîm ei alw i ddigwyddiad ar yr Wyddfa. Roedd adroddiadau bod hogyn a hogan yn eu harddegau wedi brifo ger y copa. Ond ar eu ffordd i ymuno â'r gweddill, bu'n rhaid i ddau aelod – Cled, a oedd yn ysgrifennydd y tîm ar y pryd, a Gwynfor Williams, oedd yn uwch-swyddog efo'r gwasanaeth ambiwlans – ateb galwad frys arall. Roedd

Gwynfor wedi cael galwad yn rhinwedd ei swydd efo'r ambiwlans i roi cymorth i wraig oedd ar fin geni babi yn Llanberis! Aeth y ddau yno, a helpu Dorothy Phillips i eni merch fach cyn brysio i ymuno ag aelodau eraill y tîm i fynd efo hofrenydd i achub y ddau berson ifanc. Roedd y fam a'r babi yn champion, a dim ond mân anafiadau gafodd y ddau ar ben yr Wyddfa. Aeth yr hofrenydd â nhw i ysbyty'r C&A ym Mangor – diwrnod bythgofiadwy i sawl un!

Hofrenydd Wessex yn hofran uwch Crib y Ddysgl.

Sôn am hofrenyddion ... mae hynna'n f'atgoffa o stori ddoniol am rywbeth a ddigwyddodd pan oeddan ni'n cael ein cario i fyny i achub rhywun. Dwi ddim yn cofio be oedd yr achlysur yn iawn, ond roedd hi'n niwl trwchus ar y pryd. Mewn tywydd felly roedd peilotiaid yr hofrenyddion yn arfer dilyn y lein bach am ei bod yn nodwedd mor weladwy. Ar y diwrnod arbennig hwn mae'n rhaid ei fod o wedi mynd braidd yn agos at y trac mewn un lle, achos geiriau'r peilot oedd, 'Bloody hell, there's a train coming!' Nid be fasach chi'n ddisgwyl ei glywed wrth deithio mewn hofrenydd. Mi benderfynodd y peilot ei bod hi'n rhy beryglus i gario 'mlaen, a chawsom ein lluchio allan, a'r strejiar efo ni (nid yn llythrennol, diolch byth!). Ond mi ddywedodd un o hogia'r lein bach wrtha i wedyn bod gyrrwr y trên wedi dweud rhywbeth digon tebyg ...

'Arglwy' mawr! Helicoptar!'

Roedd 'na dipyn go lew o dynnu coes yn mynd ymlaen hefyd, i ysgafnhau'r daith, fel petai.

Roedd Reg Edwards, oedd yn un o swyddogion y maes parcio ym Mhen-y-pàs, yn gythraul am dynnu coes. Roedd Reg yn adnabyddus fel hanner y ddeuawd boblogaidd honno o'r 1960au, Aled a Reg.

Yn yr haf, pan oedd hi'n dywydd go lew, roeddan ni'n mynd allan i eistedd ar ben wal a chael sgwrs efo hwn a llall. Roedd swyddfa'r wardeniaid ar gornel yr adeilad bryd hynny, ac roeddan ni'n gallu clywed y ffôn o fanno, a phetai hwnnw'n canu byddai un ohonon ni'n rhedeg i mewn i'w ateb. Un o hoff driciau Reg oedd disgwyl i ni fynd allan, wedyn mynd yn slei bach i'r blwch ffôn cyhoeddus yn y caffi a ffonio'r swyddfa. Byddai'n fy ngweld i, neu ryw greadur arall, yn rhedeg i'w ateb, a'r munud y baswn i'n codi'r ffôn mi fasa Reg yn rhoi'r llall i lawr! Wedyn, byddai'n aros nes i mi ddod yn ôl allan cyn ffonio eto, a gwneud yr un peth. Roeddan ni wedi arfer efo'i driciau, ond y drwg oedd, roedd yn rhaid i ni ateb y ffôn rhag ofn bod

Fi ym Mhen-y-pàs yn 1982.

yr alwad yn un bwysig, ac roedd y diawl drwg yn gwybod hynny'n iawn.

Mi welais i John Êl yn gegrwth yng nghaffi Pen-y-pàs un tro, pan ofynnodd hogan ifanc oedd newydd ddechrau gweithio yno os oedd ganddo fo broblem lysh.

'Nag oes! Be ti'n feddwl?' medda John, yn methu deall be oedd yn mynd ymlaen.

'Pam maen nhw'n galw chdi'n John Êl 'ta?' gofynnodd, ac yntau'n gorfod egluro mai o'r enw Ellis yr oedd o'n dod!

Roedd y rhan fwyaf o'm ffrindiau agosaf yn chwarae rygbi i Gaernarfon, ac mi oeddwn innau'n aelod o'r clwb er nad oeddwn i'n chwarae. Ond ro'n i'n mynd i gemau rhyngwladol yn rheolaidd efo nhw ar un adeg. Ro'n i i fod i fynd drosodd i gêm Iwerddon yn 1988 – doedd gen i ddim tocyn, ond doedd hynny ddim yn broblem fel arfer. Mi faswn i'n cael un yn rhywle, neu'n gwylio'r gêm mewn tafarn. Ond cyn i mi gychwyn o'r tŷ dyma fi'n cael galwad bod rhywun wedi disgyn yn nhop y *zig-zags* ar lwybr y Mwynwyr. Roedd hi'n dywydd gaeafol, ac eira a rhew dan draed. Aeth John Êl a fi i fyny efo hofrenydd, ac ar ôl cyrraedd y safle dyma ni'n neidio i lawr, a dod o hyd i'r claf. Roedd o wedi disgyn tua 500 troedfedd ac roedd hi'n amlwg yn syth ei fod o wedi marw. Doedd dim amdani ond mynd â fo yn yr hofrenydd i Ysbyty Gwynedd.

Mi chwiliodd John ym mhocedi'r dyn am rywbeth fyddai'n dweud pwy oedd o, ac ar ôl dod o hyd i ryw gardyn adnabod neu rwbath, dyma fo'n troi ata i a dweud mai Gwyddel oedd o.

'O ia?' medda fi, 'sbia i weld oes gynno fo dicad i'r gêm!'

Bu bron i John â syrthio ar ei ochr, roedd o'n chwerthin cymaint. Erbyn deall, John Guinness oedd o, un o deulu'r bragwyr a'r bancwyr adnabyddus o Iwerddon. Roeddan nhw'n deulu anffodus ofnadwy: mae nifer ohonyn nhw wedi marw mewn damweiniau, neu amgylchiadau anarferol neu ddramatig.

Yn 1986 cafodd Jennifer, gwraig John Guinness, ei herwgipio, ond cafodd ei rhyddhau ar ôl gwarchae arfog yn Nulyn. Mewn cyfnod o bedwar mis yn 1978 bu farw pedwar aelod o'r teulu. Mae anlwc yn taro rhai teuluoedd yn waeth na'i gilydd weithiau, ond roedd rhywun heblaw fi wedi gweld hiwmor yn y digwyddiad diweddaraf yma, oherwydd bu jôc hynod o ddi-chwaeth yn mynd o gwmpas am sbel:

'Be sy'n gwneud i Guinness fynd yn fflat?'

Ateb: 'Disgyn o ben yr Wyddfa!'

Ydi, mae'r hiwmor yn gallu bod yn giaidd, ond fel'na mae natur ddynol yn ymateb i sefyllfaoedd anodd – roedd yn rhaid cael cyfle i chwerthin er mwyn rhyddhau dipyn ar y tensiwn.

Fi o flaen giatiau Parc yr Arfau, cyn y gêm olaf i gael ei chwarae yno.

Pennod 17

'Mae Duck yn styc ...'

Mi ddaeth 'na alwad ffôn i Ben-y-pàs un prynhawn, pan o'n i'n gwneud fy hun yn barod i fynd adref o'r gwaith (dach chi'n gweld be dwi'n feddwl?). Fel hyn aeth y sgwrs.

Galwr: 'Pwy sy 'na?'

Fi: 'Aled.'

Galwr: 'O ... Pyrs Hafod y Llan sy 'ma. Mae gen i broblem. Mae Duck yn styc.'

Fi: 'Be?'

Galwr: 'Mae Duck yn styc!'

Ro'n i'n nabod Pyrs Williams o fferm Hafod y Llan, Nant Gwynant, yn iawn, ac yn gwneud lot efo fo am bod ei dir yn cynnwys rhan helaeth o'r Wyddfa. Un a oedd yn mynd allan i hela efo Pyrs oedd Duck, ac ro'n i'n nabod hwnnw hefyd. Does dim rhaid i mi egluro mai Donald oedd ei enw iawn o dwi'n siŵr, ond dwi ddim yn cofio'i gyfenw, gwaetha'r modd.

Eglurodd Pyrs fod Duck wedi mynd i drafferthion yn rhywle o'r enw Creigiau'r Wyddfa wrth geisio achub un o'u cŵn hela. Mae gan ffermwyr enwau gwahanol i bawb arall ar rai llefydd, a doedd gen i ddim syniad lle oedd Creigiau'r Wyddfa. Ta waeth, mi es i lawr i Hafod y Llan, a mynd â rhaffau efo fi – un tua 150 troedfedd ac un 500 troedfedd. Mi rois i'r un hiraf ar fy nghefn yn barod i fynd, a dyma Pyrs yn dweud;

'Duw, ti'm isio honna! Mi wneith y llall 'na'n iawn i chdi.'

'Wel, well i mi fynd â'r un hir rhag ofn,' medda fi.

I fyny â fi i Cwm Llan, ac at be 'dan ni'n alw'n Allt Maen

Pyrs Williams, Hafod y Llan.

Aderyn, nid Creigiau'r Wyddfa. Mi es i fyny uwchben y stepan 'ma lle oedd Duck yn sownd efo'r ci. Dyma wneud belai, a gollwng y ddau efo'i gilydd i lawr, a phrin gyrraedd y gwaelod oedd y rhaff! Lwcus na wnes i wrando ar Pyrs! Beth bynnag, mi benderfynais abseilio i lawr ato fo, ac mi fedrodd Duck a'r ci fynd yn ôl yr un ffordd ag y daethon nhw, efo rhaff a chymorth gen i.

Roedd 'rhen Pyrs, fel pob ffermwr da, yn un garw am fargen. Oedd, roedd o'n gymwynasgar iawn efo'r Parc

---

'Gyda ymddiheurad. (Ddoi di Dei)

Ddoi di Duck i blith y creigiau
Ddoi di Duck
Dyma leclwidd allt Maen Deryn
Fra creigiau'r Wyddfa wedi
'Ai un eilff mae Leigast Selyn
Ddoi di Duck

Pwy fu'n creu'n fath lle'n Cadno
Wyst ti Duck
Richard Tomos Relian selog
Fô a'tho ac Raegam Glanog
Heliodd "Foi i le cynddeiriog
Wyst ti Duck

Dacw Twm yn dod ar garlam
Wel di Duck
Drwy Parc Bach mewn hwyl affair
"Rhaid cael rhaff a help y Warden
y mae'n Duck 'na sownd ar Lajen
Blydi ffwl

Telephone:
BEDDGELERT 228

HAFOD-Y-LLAN
NANTGWYNANT
GWYNEDD
LL55 4NN.

Diolch Rhen Alld gringoch Coesyn
Wedyn Duck
Wrth dy achub mor feistrolgar
Bymed wnaeth' myn diawl myn
uffar
Pwy all fod mwy hual a
buddgar
Na blydi Duck

Pyrs

bob amser, ond roedd o wastad yn disgwyl rhywbeth yn ôl!

'Iawn, Aled, gewch chi roi camfa yn fanna, ond mi faswn i'n medru gwneud efo chydig o stanciau ar gyfer ryw joban arall.' Y math yna o beth. Fel'na yr oedd hi fel rheol efo fo. Ond ar ôl i mi achub Duck a'r ci ro'n i un cam ar y blaen iddo fo.

Un o'n tasgau ni fel wardeniaid yr Wyddfa oedd rhoi rhagolygon y tywydd ar fyrddau arddangos ar waelod y prif lwybrau o gwmpas yr ardal. Mi oedd 'na un o'r rhain ger Hafod y Llan, a phan es i yno ar y bore Sadwrn ar ôl y digwyddiad, roedd 'na nodyn i mi: 'Aled, galwa yn Hafod y Llan.' Dyma fi'n mynd draw yno, a rhoddodd Pyrs botel o wisgi i mi, gan ddweud, 'Dwi 'di talu fy nyled rŵan.'

Ychydig wedyn mi ges i'r penillion canlynol ganddo drwy'r post:

(Gydag ymddiheuriadau i 'Ddoi di Dei?')

Ddoi di Duck i blith y creigiau
Ddoi di Duck?
Dyma lechwedd Allt Maen Deryn
Yna Creigiau'r Wyddfa wedyn
Ar un silff mae helgast felyn
Ddoi di Duck?

Pwy fu'n creu'r fath le i'r cadno
Wy'st ti Duck?
Richard Tomos heliwr selog
Fo a thi a'r helgwn blewog
Heliodd 'Fox' i le cynddeiriog
Wy'st ti Duck?

Dacw Twm yn dod ar garlam
Wel'di Duck?
Drwy Parc Bach mewn hwyl aflawen
Rhaid cael rhaff a help y warden,
'Y mae'r Duck 'na'n sownd ar ledjen.
Blydi ffŵl!'

Daeth 'rhen Aled gringoch locsyn
Wedyn Duck
Wrth dy achub mor feistrolgar
Dywed wnaeth 'myn diawl, myn uffar,
Pwy all fod mwy hurt a beiddgar
Na blydi Duck?'

Ia wir, cymêr oedd Pyrs Hafod y Llan. A tra dwi'n sôn amdano
fo, mae 'na ambell gymeriad arall oedd yn ffermio ar ochrau'r
Wyddfa yn dod i'r cof hefyd.

*Ken Beudy Mawr, Wil Lôn Glai a Dic Parciau yn Nhafarn y Faenol,
Nant Peris.*

Un o'r ffermydd uchaf yn y Pàs oedd Beudy Mawr, sydd ar y chwith wrth i chi fynd i fyny o Nant Peris. Teulu Wil Owen Griffith, neu Wil Lôn Glai i'r rhan fwyaf – sy'n ffermio yno ers degawdau. Roedd y Grib Goch yn rhan o dir y fferm, a Wil oedd yn bugeilio'r uchelfannau – doedd hi ddim yn anghyffredin i'w weld o i fyny ar y Grib ym mhob tywydd, a waeth pa mor oer neu wlyb fyddai hi, yr un dillad oedd Wil yn eu gwisgo: welintons am ei draed, crys cotwm efo'r tri botwm top yn agored, a hen gôt PVC denau. Bob bore Gwener yn y gaeaf pan oedd eira ar y mynydd mi fydden ni'n mynd i fyny i asesu cyflwr y prif lwybrau mewn llefydd arbennig fel top llwybr y Mwynwyr, top y Watkin, a lle mae'r lein bach yn mynd ar draws Clogwyn Coch. Ro'n i newydd wneud hyn un bore pan ddois i ar draws y criw 'ma oedd yn ceisio mynd i lawr y mynydd. Roedd hi'n pluo eira'n drwm ac yn llithrig iawn dan draed, a dyma finnau'n sylwi nad oedd ganddyn nhw fwyelli rhew, felly mi ges i air efo nhw i geisio'u rhybuddio o'r peryglon o fod heb yr offer cywir yn y

Llun o'r tîm yn 1990 efo ci chwilio o flaen helicopter oedd yn gweithio i'r parc – doeddan ni ddim yn cael ei ddefnyddio i achub!

fath dywydd. Pwy ddaeth drwy'r eira a'r niwl ond Wil efo'i ffon bugail a'i grys yn agored at ganol ei frest, fel arfer, a hithau'n uffarn o dywydd!

'Arglwy', Wil, be ddiawl ti'n da yn fama yn y fath dywydd?' medda fi.

Doedd 'na ddim llawer o ffensys o gwmpas yr ucheldir ers talwm, ac yn naturiol, roedd defaid yn crwydro, felly hel ei braidd at ei gilydd oedd Wil.

'Aled bach, mae'n beryg yma,' meddai.

'Wel, yndi! Pam ddiawl na fasat ti wedi gyrru'r hogia i fyny?' medda fi.

'O, mae'n rhy beryg iddyn *nhw*,' medda Wil!

Pa obaith oedd gen i o roi gwers i'r criw am ddiogelwch pan oedd Wil yn fanno yn ei grys agored a'i gôt PVC a welintons am ei draed? Ia, cymeriad a hanner ydi Wil.

Mae rhan o lwybrau Pyg ar dir Beudy Mawr, ac ar yr ochr arall i'r mynydd roedd llwybr Watkin ar dir Pyrs Hafod y Llan; llwybr Llyn Cwellyn (Snowdon Ranger) ar dir Gwilym Bron Fedw Isaf, a llwybr Rhyd Ddu ar dir Moi Ffridd, a fel'na yr oeddan ni'n eu hadnabod nhw, wrth enwau'u ffermydd. Does gen i ddim syniad hyd heddiw beth oedd eu cyfenwau, ond roeddan nhw i gyd yn gymeriadau yn eu gwahanol ffyrdd, a phob un yn hawdd iawn i ddelio â fo fel arfer.

Mi ddois i ar draws Gwilym Bron Fedw Isaf flynyddoedd cyn i mi ddod yn warden. Dwi'n meddwl mai adeg arwisgiad y Tywysog Charles oedd hi, yn 1969, ac roedd 'na dîm hoci merched wedi dod i fyny i ogledd Cymru i chwarae gêm. Dwi ddim yn cofio o ble oeddan nhw'n dod, nac yn erbyn pwy oeddan nhw'n chwarae (na pham!) ond ta waeth, mi feddyliodd rhywun y basa'n syniad da iddyn nhw fynd am dro i ben yr Wyddfa un diwrnod. A dyna fu. Ond ar ôl bod yn y caffi ar y copa am baned, mi aeth tair o'r criw allan drwy'r drws cefn yn lle'r drws ffrynt lle'r oeddan nhw wedi dod i mewn. Yn anffodus, mi oedd hi'n niwlog ar y copa, a wnaethon nhw ddim sylweddoli eu bod wedi gwneud camgymeriad. Doedd y gweddill ddim wedi gweld eu colli am sbel chwaith, ac ymhen dim roedd y tair ar goll. Sylweddolodd un o'r criw nad oeddan nhw efo'r gweddill, a galwyd yr heddlu.

Roedd John Êl yn byw yn Waunfawr yr adeg honno ac mi ddaeth i fy nôl i i'r tŷ, a galwodd Dîm Achub Mynydd y Llu Awyr allan hefyd. Yn y cyfamser mi lwyddodd un o'r genod i wneud ei ffordd i lawr i fferm Bron Fedw Isaf, a galwyd yr heddlu eto o fanno. Ar ôl holi'r hogan roedd gynnon ni syniad eu bod nhw ar dir serth a chreigiog, felly aeth John i fyny i Gwm Clogwyn efo'i ddau gi.

Mi ges innau gwmni Gwilym Bron Fedw, ac aethom i fyny i edrych oedd 'na olwg o'r genod. Ar ôl cyrraedd giât derfyn Bron Fedw Isaf, dyma Gwilym yn troi ata i a dweud;

'Fedra i ddim mynd dim pellach na fama.'

'Am be?' medda fi.

'Nid fy nhir i ydi o o fama ymlaen.'

Roedd yn rhaid i mi chwerthin, ond mi lwyddais i'w berswadio fo na fasa neb yn dweud dim byd. Roedd hi wedi tywyllu erbyn hyn, a chlywais lais John ar y radio yn dweud ei fod am danio fflêr arbennig – y math oedd yn aros i fyny am hir am bod 'na barasiwt yn sownd iddi – er mwyn goleuo'r creigiau, a gorchymyn i ni gadw golwg am y genod ar y clogwyni.

Mi daniodd ddwy neu dair o'r rhain, ac roedd hi fel golau dydd bron. Wna i byth anghofio geiriau Gwilym: 'Ew, maen nhw'n werth eu gweld, tydyn?' Roedd ganddo fwy o ddiddordeb yn y fflêrs na chwilio am y merched! Ond diolch byth, roedd 'na ddiweddglo hapus i'r stori. Mi ddaethpwyd o hyd i'r ddwy arall yn gynnar y bore wedyn, a doedd neb fawr gwaeth.

Pennod 18

Damweiniau personol

Mae diogelwch mynydd wedi bod yn agos at fy nghalon ers i mi ddechrau gwirfoddoli efo'r tîm achub, ac yn arbennig felly ar ôl dechrau gweithio fel warden, a dwi'n dal yn awyddus iawn i hyrwyddo hynny bob cyfle ga i. Mi fyddaf yn mynd allan i siarad am fy mhrofiadau efo gwahanol gymdeithasau weithiau, ac mae diogelwch yn chwarae rhan amlwg yn y sgwrs. Ond, fel y soniais yn y rhagair i'r llyfr yma, weithiau mae'n rhaid derbyn mai damwain ydi damwain, waeth faint o baratoi wnewch chi, a waeth pa mor ofalus ydach chi. A dwi wedi cael ambell i ddamwain ddifrifol. Difrifol iawn hefyd ...

Lle poblogaidd efo dringwyr pan mae 'na rew ar y mynydd ydi Bryant's Gully, sydd i'r dde o Garreg Wastad ym Mwlch Llanberis, ac sy'n rhan o ochr ddeheuol Glyder Fawr. Mi ges i ddihangfa lwcus iawn yno un tro, wrth gymryd rhan mewn achubiad reit anodd. Dydd Sadwrn oedd hi ym mis Ionawr 1977, ac roedd eira meddal dan draed, a rhew'n dechrau dadmer ar y creigiau. Roedd 'na griw o ddringwyr, oedd yn amrywio mewn oedran o 15 i 29, wedi mynd i drafferthion yno ac wedi llwyddo i dynnu sylw trwy weiddi am help. Roedd pumed aelod, yr un oedd yn arwain y criw, wedi disgyn 50 troedfedd ac wedi brifo'i gefn, ac roedd y pedwar arall wedi mynd yn sownd, yn methu mynd i fyny nac i lawr. Cafodd Sam ei alw allan i weld be oedd be, ac mi ddringodd i fyny'r ceunant rhewllyd a llwyddo i gysylltu efo'r criw, cyn galw am gymorth y tîm achub. Roedd Sam yn ffan mawr o *Doctor Who*, ac am ei fod wedi cael ei alw allan jyst cyn i'r rhaglen gael ei darlledu, roedd o'n flin 'fatha tincar. Ac ar ôl cyrraedd y dringwyr a gweld eu rhaff ar lawr, ei eiriau cyntaf oedd, 'What the hell do you want a rope for? You can't climb, and I've missed *Doctor Who*!'

Roedd y criw wedi dychryn braidd ac yn sbio'n wirion arno fo, a dyma un ohonyn nhw'n dweud, 'You can keep the rope!'

Roeddan ni wedi gosod rhaffau yn sownd er mwyn i'r dringwyr eu dilyn i lawr, ac mi aeth Sam i lawr efo nhw. Roedd 'na ddŵr wedi bod yn diferu i lawr am ei ben wrth ddringo atyn nhw, ac roedd o'n wlyb socian. Ro'n i a John Êl wedi aros ar ôl i glirio a hel y gêr at ei gilydd, ac roeddan ni'n tynnu'r rhaffau wrth fynd i lawr. Ond tua gwaelod Bryant's Gully, dyma fi'n llithro a dechrau sglefrio i lawr ar fy nghefn, ac yn fy nillad gwrth-ddŵr roeddwn i'n mynd ffwl sbîd fel taswn i ar sled. Dwi'n cofio gweld Bob Eaglestone, un o'r tîm achub, yn sbio'n hurt arna i wrth i mi fflio heibio iddo fo. Ro'n i wedi cael benthyg tortsh dda gan Arthur Clark, un o'r hyfforddwyr ym Mhlas y Brenin a oedd hefyd yn un o aelodau'r tîm, a'r unig beth oedd yn mynd trwy fy meddwl wrth i mi sglefrio wysg fy nghefn oedd, 'os dwi am drio stopio fy hun, mi fydd yn rhaid i mi droi drosodd ar fy mol a defnyddio fy mwyell rew, ond os wna i hynny mi fydd yn rhaid i mi luchio'r dortsh a phrynu un newydd i Arthur!' Ond mae popeth yn digwydd mor sydyn mewn sefyllfa fel'na, a dydach chi ddim yn cael cyfle i ymateb, felly mi sglefriais yr holl ffordd i lawr i'r gwaelod ar fy nghefn. Mae'n siŵr ei fod o'n 300 troedfedd yn hawdd. Fasach chi ddim yn coelio bod y fath beth yn bosib achos mae'r lle yn greigiau i gyd, ond am ei bod hi wedi bwrw eira ac am bod 'na dipyn go lew o laswellt yno hefyd, doedd 'na ddim marc arna i! Ar ôl i mi godi, mi es i at y lôn i sgwrsio efo Meirion Owen, Sarjant Llanberis. Daeth John Jackson, un arall o'r tîm i lawr aton ni, a gofynnodd y sarjant iddo fo pwy oedd yn dal ar ôl i fyny ar y mynydd.

'Oh, only John Êl and Aled,' medda fo, ac ar hynny dyma

fo'n troi a sbio arna i yn gegrwth. 'How the hell did you come down so quickly?' holodd.

'I fell!' medda finnau.

Mewn adroddiad yn y papur newydd y dydd Llun wedyn, roedd Sam wedi beirniadu'r criw a achubwyd – nid am wneud iddo golli *Doctor Who*, ond am nad oedd ganddyn nhw offer addas ar gyfer y lleoliad a'r tywydd. Ond mewn stori arall yn y papur y diwrnod wedyn, gwrthododd un o'r dringwyr yr honiad hwnnw, gan ddweud bod eu hoffer yn berffaith addas ar gyfer y daith roeddan nhw wedi bwriadu ei gwneud. Ond roeddan nhw wedi mynd i fyny'r ceunant anghywir, medda fo. A gwrthod y feirniadaeth wnaeth tad un o'r bechgyn hefyd, gan ddweud wrth y papur bod ganddyn nhw ddillad sbâr, bwyd a phabell addas, ac mai'r tywyllwch oedd wedi'u rhwystro nhw rhag dod i lawr ar eu liwt eu hunain.

Ond mewn llythyr at y papur, dywedodd John Êl mai cywilydd oedd eu rheswm dros wrthod y feirniadaeth – yr embaras o gael eu hachub. Pwysleisiodd ymhellach fod bwyelli rhew a chrampons yn hanfodol ar gyfer y lleoliad dan sylw ar y fath dywydd. Eglurodd i'r tad fod y rycsac oedd yn cynnwys y dillad sbâr wedi cael ei adael ganddynt 150 o droedfeddi islaw, a bod y babell yn eu car! Ond yr ergyd olaf oedd dweud y byddai criw cymwys wedi medru defnyddio'u rhaffau i ddod i lawr ar eu liwt eu hunain. Na, doedd John Êl ddim yn foi i'w groesi, ac mi oedd o bob amser yn sefyll i fyny dros ei gyd-weithwyr.

Haf 1992 oedd hi, ac ro'n i wedi mynd i weld gweddillion injan awyren ar Fynydd Mawr efo John Êl. Roeddan ni ger Castell Cidwm uwchben Llyn Cwellyn, yn cerdded ac yn sgwrsio'n braf am hyn a'r llall ac arall. Yn sydyn, pan o'n i ar ganol brawddeg, dyma fi'n llithro. O 'mlaen roedd llethr o ychydig lathenni, wedyn dibyn yn plymio 70 troedfedd yn syth i lawr. Mi es i lawr y llethr, a'r peth nesa dwi'n ei gofio oedd fflio dros yr ochr!

Edrychais i lawr a meddwl, 'Shit! Dwi'n mynd i farw rŵan!'

Dwi'n cofio gweld llygaid John Êl yn agor yn fawr pan welodd be oedd yn digwydd, a gweld siâp ei geg yn gweiddi fy enw, ond chlywais i ddim byd. Roedd o fel petai'r holl beth yn digwydd mewn breuddwyd – neu hunllef, efallai. Yn anfwriadol, ro'n i wedi ymlacio'n llwyr, a phan wnes i hitio'r creigiau yn y gwaelod a ffeindio 'mod i'n dal yn fyw, roedd hynny'n fwy o sioc na disgyn, bron iawn. Ro'n i wedi glanio ar fy nhraed, a'r peth cyntaf deimlais i oedd poen dychrynllyd yn fy nghefn.

Gwaeddodd John i lawr arna i, a dwi'n meddwl ei fod yntau hefyd wedi cael sioc o ddarganfod 'mod i'n dal yn fyw. Pan gyrhaeddodd o, dyma fo'n dweud;

'Reit, dwi'n galw am hofrenydd y munud 'ma.'

'No wê!' medda fi.

'Yndw, wir!' mynnodd, ond drwy lwc mi fethodd fynd trwodd ar y radio. Aeth i lawr at y fan yn y gwaelod, ond doedd o ddim yn medru cael gafael arnyn nhw yn fanno chwaith. Yn y cyfamser, mi godais innau a dechrau cerdded i lawr, ac erbyn i mi gyrraedd y gwaelod roedd John wedi cael gafael ar Sam ar radio'r fan oedd â signal dipyn cryfach. Roedd gan John rwbath yn erbyn ysbytai – roedd yn gas ganddo fynd ar eu cyfyl nhw – felly mi ofynnodd o i Sam fynd â fi yno. Mi gerddais i mewn i'r adran ddamweiniau, ac ar ôl cael fy archwilio a chael Pelydr-X mi ges i fy nghadw i mewn. Ro'n i wedi torri pedwar asgwrn yn fy nghefn – *compressed fracture of*

Fi yng Nghastell Cidwm, neu Castell Codwm, ar ôl fy namwain yn 1992.

the spine – ac mi fues i yn yr ysbyty am wythnosau lawer, yn gorwedd yn fy ngwely yn stagio ar y to. Ches i ddim mynd yn ôl i 'ngwaith am tua chwe mis, a hyd yn oed wedyn doeddwn i ond i fod i wneud dyletswyddau ysgafn – ond ro'n i'n dal i'w miglo hi allan am y mynydd pan oedd John yn ddigon pell. Castell Codwm oedd Sam yn galw'r lle byth ar ôl hynny.

Mi ges i lawer o fân-ddamweiniau dros y blynyddoedd – yn cynnwys syrthio'n fflat ar fy wyneb am 'mod i'n cerdded efo 'nwylo yn fy mhocedi ar y pryd. Ydi, mae rhywun yn dysgu gwersi drwy'r adeg yn y job. Ond mi ges i ddamwain ddrwg arall yn 2008. Ro'n i a dau o 'nghyd-weithwyr, Iwan Arnold a Gafyn Buckley, yng Nghwm Beudy Mawr, yn dod i lawr ar ôl bod yn gwneud rhyw joban ym Mwlch y Moch, pan gawson ni alwad ar y radio i ddweud bod 'na ddafad yn sownd. Aeth Gafyn i lawr i nôl y fan er mwyn ein cyfarfod ni yn y Pàs, ac aeth Iwan a finna i chwilio am y ddafad, ond erbyn i ni gyrraedd y llecyn dan sylw

Gydag Iwan ar ffordd i lawr o Dinas Mot ar ôl cael damwain.

roedd hi wedi mynd. Dyma ni'n troi ar ein sodlau a dechrau dod i lawr y sgri o waelod Dinas Mot yn y Pàs. Roedd o'n serth ofnadwy, yn syth bron, a dyma fi'n digwydd sefyll ar y garreg 'ma – roedd hi tua maint bwrdd coffi mawr – ac mi ddechreuodd hi lithro i lawr a finna arni hi, fel taswn i'n syrffio! Mi lithrodd ychydig droedfeddi cyn cyrraedd dibyn tua saith troedfedd o uchder, a disgyn drosto. Mi es i lawr gynta a'r garreg ar f'ôl i, a dyma hi'n rowlio drosta i. Mi ges i fy lluchio i lawr yn is, a rywsut neu'i gilydd mi aeth drosta i am yr eildro. Pan gyrhaeddodd Iwan ata i, y peth cyntaf ddywedodd o oedd, 'Esu, ti'm i fod yn fyw!' Wna i byth anghofio'i eiria fo. Ac yn union fel y gwnaeth John Êl, dyma fo'n dweud ei fod am alw hofrenydd. Yr un oedd fy ymateb innau, er 'mod i mewn dipyn o boen, sef 'No wê!' Llwyddodd Iwan a Gafyn, efo help un neu ddau o ddringwyr oedd o gwmpas, i 'nghael i lawr i'r fan ac yn syth i Ysbyty Gwynedd. Yn ôl ymateb y staff yno, dwi ddim yn meddwl eu bod nhw'n coelio ein disgrifiad o be oedd wedi digwydd, yn enwedig gan i mi gerdded i mewn i'r Adran Ddamweiniau! Ro'n i wedi torri fy ffêr, ac mi oedd gen i boen yn fy ochr, jest o dan fy nghesail, ond mi ges i ddod adra ar ôl chydig oriau. Roedd fy ochr yn dal i fod yn boenus wythnosau ar ôl y ddamwain. Mi feddyliais i mai wedi torri un o fy asennau o'n i, ac y basa fo'n mendio, ond chwe mis yn ddiweddarach mi es i at fy meddyg teulu oherwydd y boen, gan ddweud 'mod i'n credu mai ar ôl y ddamwain yr oedd o'n brifo.

'Na, mi fasa effaith y ddamwain wedi mendio erbyn hyn,' meddai, ac mi alwodd ar ddoctor arall i gael golwg arna i. Ar ôl trafod am dipyn dyma fo'n dweud ei fod yn fy ngyrru i weld arbenigwr. Erbyn deall, arbenigwr canser oedd o. Roeddan nhw'n ofni bod gen i ganser y fron. Anfonwyd fi am sgan, ac ymhen ychydig wedyn mi ges lawdriniaeth pan dynnwyd lwmp allan. Nid canser oedd o, ond tyfiant diniwed. Ro'n i'n meddwl y byddai pob dim yn iawn ar ôl hynny, ond roedd y briw yn araf iawn yn cau a mendio. Mi gaeodd yn y diwedd, ond ymhen rhyw chwe mis roedd y boen yn ôl, 'run fath ag o'r blaen. Y tro hwn, yr arbenigwr ei hun wnaeth y llawdriniaeth, a daeth o hyd i 'dwll' yn fy asennau.

'Dydan ni ddim yn gwneud llawdriniaethau fel hyn yn fama fel arfer, ond dwi wedi rhoi penicillin i mewn yn y twll,' medda fo. 'Mi gysyllta i efo ysbyty'r frest yn Lerpwl i gael eu barn nhw.'

Pan es i i'w weld o yn ddiweddarach roedd o wedi cael gair yn ôl gan Lerpwl yn dweud na fasa'r hyn yr oedd o wedi'i wneud efo'r penicillin yn gweithio, mwy na thebyg, 'ond gawn ni weld be ddigwyddith,' meddan nhw.

Aeth chwe mis arall heibio ac roedd y boen yn ei ôl eto – y tro hwn mi ges fy nghyfeirio'n syth i'r ysbyty yn Lerpwl am sgan ac archwiliad gan yr arbenigwr yno. Cynigiodd lawdriniaeth i mi, gyda'r rhybudd ei bod hi'n lawdriniaeth fawr ac mai dim ond hanner cant y cant o obaith oedd 'na y byswn i'n dod drwyddi'n fyw.

Fi ar ôl y ddamwain yn Ninas Mot yn 1998 efo Trevor Beech, fy ffrind, oedd wedi cael clun newydd.

'Wyt ti isio amser i feddwl dros y peth?' gofynnodd, ond heb feddwl am eiliad dyma fi'n ateb, 'Nag oes.'

'Iawn,' medda hwnnw, 'rwyt ti'n dod yn ôl i fama ddydd Sul, ac mi ydan ni'n opyrêtio ddydd Llun.'

A dyna pryd y gwnes i ystyried y peth a meddwl o ddifri ... be taswn i'n marw go-iawn?

Beth bynnag, mi aeth pob dim yn iawn, a bu'r llawdriniaeth yn llwyddiant (er nad ydw i'n hollol siŵr be yn union wnaeth o i mi hyd heddiw). Mi ddigwyddodd y ddamwain ar 16 Mai 2008, ac ro'n i'n cael y llawdriniaeth honno ar 14 Gorffennaf 2015, felly mi fues i mewn poen am saith mlynedd, mewn ffordd. Ta waeth, mae gen i dwll fel twll bwled yn ochr uchaf fy mrest i fy atgoffa o fy ymgais aflwyddiannus i ddyfeisio camp newydd – syrffio creigiau yn Eryri.

Er nad ydi hi'n ddamwain fel y cyfryw, mae byw a bod yn yr awyr agored wedi cael effaith arall ar fy iechyd. Dwi'n cael triniaeth am ganser y croen ers rhai blynyddoedd bellach. Mi ddechreuodd pan o'n i'n 28 oed yn yr 1970au. Croen golau, ac effaith bod yn yr haul heb het oedd ar fai, ond mi gafodd fy nhad ganser y croen hefyd felly doedd o ddim yn syndod, mae'n siŵr. Roedd o'n talu arian i gronfa yn y chwarel – Cronfa'r Ddafad Wyllt – ac mi aeth i weld Owen Griffiths, Pencaerau – Dyn y Ddafad Wyllt fel roeddan nhw'n ei alw fo. Mi es innau i'w weld o efo 'nhad, a chadarnhaodd Mr Griffiths mai dafad wyllt oedd o, ond dywedodd nad oedd yn trin neb bellach gan ei fod wedi ymddeol.

'Mae'r ysbytai'n gallu ei drin o'n iawn erbyn hyn,' meddai, a dyna fu.

Pan sylwais i fod gen i'r un peth o dan fy ngwefus, mi es i at y doctor yn Weun, ac mi yrrodd o fi i Ysbyty'r C&A ym Mangor. Dywedodd y doctor fod gen i ganser y croen – roedd hynny'n dipyn o sioc, achos doeddwn i erioed wedi meddwl am ddafad wyllt fel canser. A phan ddywedodd y baswn i'n gorfod mynd i Ysbyty Clatterbridge am driniaeth mi o'n i wedi dychryn.

'Shit, does 'na neb yn dod adra o fanna, dim ond mewn bocs,' medda fi wrtha i fy hun, ond mynd fu raid.

Mi fues i yno am ddeg diwrnod i gyd, yn cael triniaeth radium. Ro'n i'n mynd o dan y peiriant 'ma am dri munud bob dydd, ond yn ystod y driniaeth olaf mi chwythodd y peiriant! Roedd 'na fwg yn dod allan ohono, a bu'n rhaid i mi fynd i ysbyty arall yn Lerpwl i gwblhau'r driniaeth. Doeddwn i ond yn cael yfed drwy welltyn am beth amser tan oedd y ddafad wedi disgyn i ffwrdd.

Yn rhyfedd iawn, wnaeth neb sôn dim byd am yr haul, ac am wisgo het ac yn y blaen. Ond roeddwn i wedi dechrau amau: tybed ai'r haul oedd yn gyfrifol am y canser? Be wnaeth i mi feddwl hynny oedd bod 'na dri ohonon ni'n disgwyl ein tro i weld y meddyg – pysgotwr oedd un, ffermwr oedd y llall, a minnau'n warden mynydd. Tri oedd yn treulio oriau allan yn yr awyr agored bob dydd, a'r tri efo'r un peth ar eu hwynebau. Ond

Fi yn 1982.

doedd 'na ddim sôn am eli haul a ballu bryd hynny, yng nghanol yr 1970au. Ddywedodd neb wrtha i am gadw allan o'r haul chwaith, ond wrth gwrs, ymhen ychydig flynyddoedd roedd meddygon yn cynghori pawb i fod yn ymwybodol o beryglon gormod o haul.

Mi ges i lonydd wedyn am flynyddoedd, ond mi ddaeth yn ôl ymhen hir a hwyr, a bu'n rhaid iddyn nhw ei dorri i ffwrdd y tro hwn. Dwi wedi cael tua 30 o driniaethau i dynnu darnau o ganser, yn cynnwys nifer o lawdriniaethau lle dwi wedi gorfod mynd i gysgu am eu bod nhw'n impio croen o ran arall o fy nghorff. Dyna i chi'r peth mwyaf poenus dwi wedi'i gael erioed, a dwi wedi cael fy siâr o anafiadau a phoen! Argian, mi oedd o'n boenus, a faswn i ddim yn ei ddymuno fo ar neb. Llawfeddyg medrus iawn o'r enw Alex Rogers sydd wedi gwneud y rhan fwyaf o fy llawdriniaethau yn Ysbyty Gwynedd, a does gen i ond diolch iddo. Erbyn hyn dwi wedi dod yn un reit dda am sylwi ar

Efo'r diweddar Barbara Jones, Warden a Swyddog Mynediad y Parc yn y 90au cynnar.

unrhyw beth sy'n edrych yn amheus ar fy nghroen, a dwi'n ffonio'r ysbyty yn uniongyrchol i wneud apwyntiad.

Fydda i byth yn mynd allan i gerdded ar ddiwrnodau braf ofnadwy erbyn hyn, yn enwedig pan mae'r haul ar ei gryfaf rhwng 11am a 3pm. Dwi hefyd yn gwisgo het bob amser, ac yn rhoi digon o eli haul ar fy nghroen. Mae'r haul yn gallu achosi niwed heb i chi sylweddoli hynny.

Pennod 19

'Sut ddiawl wyt ti'n colli 17 o bobol?'

Ychydig cyn i mi roi'r gorau i weithio i'r Parc mi gysylltodd yr heddlu i ofyn fasan ni'n cymryd rhan mewn cynllun o'r enw Mynydda Diogel (Mountain Safe). Ymgyrch reit galed oedd Mynydda Diogel, i geisio gwneud i bobol feddwl mwy cyn mynd allan ar y mynyddoedd. Roedd yn gwneud defnydd o bosteri neu arwyddion trawiadol, i gyfleu'r neges yn blwmp ac yn blaen. Er enghraifft, llun o rywun ar strejiar, a'r neges yn dweud: 'Fyddwch chi'n mynd adref heno?' Mae'r math yna o beth yn llawer mwy effeithiol na rhyw arwydd efo lot o sgwennu arno fo yn rhybuddio pobol i gymryd pwyll, a hyd yn oed yn fwy pwerus na rhybudd yn dweud 'Gofal' neu 'Perygl'. Mae pobol yn cerdded heibio'r rheiny heb eu darllen, ond mae llun neu arwydd trawiadol yn tynnu'ch sylw yn syth bìn, ac mi fedrwch chi ddeall y neges o bell hefyd. Ond dydi'r Parc ddim yn gwneud dim byd fel'na rŵan, oherwydd toriadau am wn i, a dwi'n meddwl bod hwnna'n rheswm arall dros y cynnydd mewn damweiniau.

Mae defnyddio technoleg GPS ar eich ffôn i gerdded neu ddringo yn y mynyddoedd yn iawn mewn egwyddor, ond ddylai neb ddibynnu'n llwyr arno, rhag ofn i rywbeth fynd o'i le. Mae'n iawn os oes ganddoch chi ddull arall o ffeindio'ch ffordd o gwmpas, rwbath y gallwch chi ei ddefnyddio os ydi'r GPS yn chwarae i fyny. Mae GPS yn drwm ar fatri'r ffôn yn un peth, yn enwedig os ydach chi'n edrych arno'n aml. Mae'r un peth yn wir am bobol sy'n defnyddio eu ffonau fel tortsh – does dim o'i le ar hynny os ydi'ch tortsh chi wedi torri, ond ddylai neb ddefnyddio ffôn yn lle tortsh go iawn. Er, dwi'n cofio un achlysur pan oedd ffôn yn ddefnyddiol iawn. Aeth criw o fyfyrwyr o Newcastle i drafferthion wrth ddringo Lliwedd ym mis Tachwedd 2004 – doedd ganddyn nhw ddim signal ar eu ffonau ar ddechrau'r daith, ond mi lwyddodd un ohonyn nhw i gysylltu â'r gwasanaethau brys pan aethon nhw'n sownd ar y graig. Roedd niwl wedi dod i lawr gan ei gwneud hi'n rhy beryglus i symud. Ar ôl trosglwyddo neges i'r tîm achub, defnyddiodd un arall o'r bechgyn fflach y camera ar ei ffôn er mwyn i'r tîm achub weld yn union lle'r oeddan nhw. Mi fuon nhw'n sownd am dros bump awr cyn i'r achubwyr eu cyrraedd, ac mi gymerodd ryw deirawr arall i abseilio i lawr atyn nhw, a'u cael hwythau i fyny i dop y clogwyn.

Mi wnaethon nhw'r peth iawn yn aros lle'r oeddan nhw, ac nid mynd ar goll wnaethon nhw, chwarae teg.

Ond mae o wastad yn syniad da i ddysgu defnyddio cwmpawd a map, a chario'r rheiny efo chi bob amser; ac mae tortsh dda – y math y gallwch ei gwisgo ar eich pen – yn hanfodol hefyd, a batri sbâr. Wedi'r cwbl, fedrwch chi ddim darllen map yn y tywyllwch heb dortsh.

Mi gafodd Sam a finnau ein dal allan heb yr un dortsh rhyngddon ni un tro, ar ôl bod yn gwneud dringfa o'r enw'r Horned Crag ar Lliwedd. Wnaethon ni ddim cychwyn tan ar ôl cinio, felly roedd hi'n hwyr, braidd – rheol arall gafodd ei thorri y diwrnod hwnnw: gadewch ddigon o amser i ddod yn ôl i lawr cyn iddi dywyllu! Mae Sam yn lot gwell dringwr na fi, a fo oedd yn arwain. Roedd 'na eira a rhew ar y graig, ac roedd hi'n oer. Yn sydyn, dyma fi'n colli fy ngafael a llithro i lawr, nes fy mod yn hongian ac yn siglo fel pendil cloc o ochr i ochr. Mi lwyddais i gydio mewn craig oedd yn sticio allan er mwyn stopio fy hun, a dyma'r llais 'ma'n gweiddi uwch fy mhen i:

'Be ddiawl ti'n wneud i fy rhaffan i, Còch?'

Crib y Ddysgl:
Wessex yn codi'r dyn oedd wedi cael
trawiad ar ei galon.

Sam, yn ei ffordd ddihafal ei hun, yn cwyno 'mod i'n difrodi ei raff. Ia, wir i chi, dyna oedd ei eiriau fo, nid 'Còch, ti'n iawn mêt?' O na. Roedd o'n poeni mwy am ei raff nag amdana i!

Roedd hi'n dechrau tywyllu erbyn hyn, a dyma'r ddau ohonon ni'n sylweddoli nad oedd gynnon ni dortsh ... a dyna reol arall wedi mynd drwy'r ffenest.

Dwi wedi bod yn euog o anghofio mynd â map efo fi hefyd, ac mi ges i fy nal allan hebddo un tro. Ro'n i ar Grib y Ddysgl un diwrnod pan ofynnodd rhyw ddynes i mi oedd gen i dabledi at gamdreuliad neu wynt. Roedd ei gŵr yn eistedd ar garreg gerllaw yn edrych yn reit sâl – yn fy marn i nid tabledi gwynt oedd o eu hangen, ond hofrenydd i fynd â fo i'r ysbyty. Roedd ganddo boenau yn ei frest, roedd o'n wyn fel y galchen ac roedd hi'n amlwg i mi ei fod o'n cael trawiad ar y galon. Mi alwais Pen-y-pàs ar y radio a gofyn am hofrenydd, a drwy lwc roedd hwnnw'n digwydd bod yn gwneud ymarferion yn weddol agos aton ni. Ro'n i'n gallu ei weld o'n dod yn y pellter, ac ymhen munud neu ddau daeth y winshman ar y radio a gofyn am ein cyfeirnod grid ni. O diar! Doedd gin i ddim map efo fi, a bu'n rhaid dweud wrtho: 'negative map'. Ond o leia ro'n i'n gweld yr hofrenydd, a gallwn ei gyfeirio aton ni. Codwyd y claf i mewn iddo ac i ffwrdd â fo am yr ysbyty. Ond pan gyrhaeddais yn ôl i Ben-y-pàs, roedd John Êl yn barod amdana i.

'Blydi hel, Aled, mae pawb yng ngogledd Cymru wedi dy glywed di'n dweud bod gen ti ddim map! Pa fath o esiampl mae hynna'n ddangos i bobol?' Y gwir oedd, doeddwn i byth bron yn defnyddio map. Ro'n i'n cario un efo fi fel arfer, ond doeddwn i byth yn ei ddefnyddio. Mi wnes i ddysgu 'ngwers ar ôl y diwrnod hwnnw.

Ia, anghofio map, cychwyn allan yn rhy hwyr ac anghofio tortsh. Tair rheol wedi eu torri. Pwy ydw i i roi cyngor i neb? Ond fel'na mae pobol yn dysgu eu gwersi. Wna i byth anghofio 'run ohonyn nhw eto.

Dwi wedi anghofio faint o weithiau dwi wedi dod ar draws achosion o bobol yn mynd ar goll yn y niwl neu gymylau isel, a hwythau heb gwmpawd. Mae'r canlyniadau'n gallu bod yn farwol, wrth gwrs, os ydi rhywun yn dal i geisio mynd i lawr y mynydd heb weld lle maen nhw'n mynd. Y peth callaf i'w

Wessex ar achubiad yng ngodre Grib Goch.

Lle poblogaidd ydi Pen-y-pàs!

wneud mewn achos o'r fath ydi aros lle'r ydach chi, a disgwyl
am gymorth. Cofiwch hefyd ei bod yn bwysig mynd â dillad
sbâr, cynnes, a mymryn o fwyd a diod efo chi bob amser.
Wyddoch chi ddim be all ddigwydd.

Er fy mod bellach wedi ymddeol o'r Parc a'r tîm achub,
dwi'n dal i gael fy atgoffa o hyn o dro i dro. Roedd 'na adroddiad
papur newydd yn Ionawr 2019 am ddyn oedd wedi mynd i fyny'r
Wyddfa ar noswyl Calan i groesawu'r flwyddyn newydd, ac wedi
mynd ar goll pan drodd y tywydd yn ddrwg. Yn ffodus, mi
sylweddolodd ei fod wedi mynd oddi ar y llwybr, ac mi
chwiliodd am gysgod gyda'r bwriad o aros tan yr oedd hi wedi
goleuo yn y bore. Roedd ganddo ddillad sbâr efo fo, ac mi
anfonodd neges ffôn i un o'i ffrindiau yn dweud ei fod mewn
mymryn o drafferth, ond nad oedd angen poeni, ac y basa fo'n
iawn unwaith y byddai wedi gwawrio. Yn ffodus iddo fo, mi
benderfynodd y ffrind hysbysu'r tîm achub, a phan ddaethant
o hyd iddo tua 5 o'r gloch y bore, roedd o'n dechrau dioddef o

effeithiau'r oerfel. Fasa hi ddim wedi gwawrio am tua tair awr arall, felly Duw a ŵyr mewn sut gyflwr fasa fo erbyn hynny, a gallai fod wedi mynd i fwy o drafferthion – mae penbleth yn un o effeithiau hypothermia, sy'n amharu ar allu rhywun i feddwl yn glir. Chwarae teg i'r dyn yma, mi wnaeth o'r peth iawn dan yr amgylchiadau, sef chwilio am gysgod ac aros lle'r oedd o. Mi ymddiheurodd hefyd, am orfodi'r tîm achub i ddod allan, yn enwedig a hithau'n noswyl Calan. Ond mi wnaeth ei gamgymeriad cyntaf cyn cyrraedd y sefyllfa honno, sef peidio troi'n ôl pan waethygodd y tywydd. Yn ôl y papur roedd tua 14 o bobol eraill yn gwneud eu ffordd i fyny'r mynydd y noson honno, a phob un ohonyn nhw wedi troi'n ôl cyn cyrraedd y copa am bod y tywydd mor ddrwg. Felly mae 'na wers i bawb yn stori yma: defnyddiwch gwmpawd ar bob cyfrif, ond peidiwch byth â bod ofn troi'n ôl.

Yn ystod cyfnod Clwy'r Traed a'r Genau yn 2001 ro'n i'n gorfod atal pobol rhag defnyddio llwybrau'r Parc.

Mi fydda i bob amser yn dweud wrth bobol am gynllunio ffordd arall o fynd i fyny neu i ddod i lawr, rhag ofn i'r ffordd wreiddiol brofi'n anodd am ryw reswm.

Mae plant yn teimlo effeithiau'r oerfel yn gynt nag oedolion, ac fel arfer mae'r cotiau glaw a'r dillad gwrth-ddŵr sydd gan y plant yn salach pethau na rhai'r oedolion. Y rheswm am hynny ydi bod oedolion yn prynu côt dda iddyn nhw'u hunain, i bara am flynyddoedd, tra bod plant yn tyfu'n gyflym, ac felly mae'r rhieni'n dueddol o wario llai. Mae hynny'n ddealladwy, wrth reswm, dim ond iddyn nhw gadw hynny mewn cof pan maen nhw'n mynd am dro fel teulu yn y mynyddoedd.

Os oedd hi'n dywydd gwael, ac yn bwrw glaw, roeddan ni'n defnyddio dipyn o seicoleg os oeddan ni'n gweld teulu neu griw dibrofiad yn mynd i fyny. Roeddan ni'n ceisio'u darbwyllo nhw i gymryd llwybr y Mwynwyr yn lle llwybr Pyg, ac roedd 'na reswm cyfrwys tu ôl i'r cyngor hwn.

Mae llwybr y Mwynwyr yn un o'r rhai hiraf i gopa'r Wyddfa, ac mae'r gwaith caled yn dechrau ar ôl pasio Llyn Glaslyn. Mae fanno tua hanner ffordd o ran amser ond nid o ran pellter. Mae'r llwybr yn llawer mwy serth oddi yno i'r copa, er ei fod yn edrych yn weddol agos o ran pellter ar y map. Ond mi gymer tua'r un faint o amser i gyrraedd y llyn ac y gwneith hi i gerdded oddi yno i'r copa. Mewn tywydd drwg, roedd y cerddwyr yn socian at eu crwyn erbyn cyrraedd Glaslyn, a naw gwaith allan o ddeg roeddan nhw'n penderfynu troi'n ôl. Petaen nhw wedi mynd ar Lwybr Pyg, sy'n fwy cysgodol ar y dechrau, mae'n bosib iawn y byddan nhw wedi cario mlaen a mynd i drafferthion.

Roeddan ni'n cynghori pobol i fynd allan fesul tri a phedwar, wedyn os oedd un yn brifo, roedd un yn gallu aros efo'r claf tra oedd y llall yn mynd i chwilio am help. Ers talwm, roedd hynny'n golygu mynd i chwilio am flwch ffôn, neu os oeddach chi'n lwcus, ella y basach chi'n dod ar draws tŷ neu fusnes oedd â ffôn. Ond ella bod y pentref agosaf bum milltir i ffwrdd, felly roedd 'na amser gwerthfawr yn cael ei wastraffu mewn ffordd, cyn hyd yn oed hysbysu'r heddlu am y ddamwain. Ar ôl gwneud hynny, roedd angen amser i'r heddlu gysylltu efo'r tîm achub mynydd, ac roedd y rheiny wedyn angen cael criw at ei gilydd. Rhwng popeth roedd hi'n gallu cymryd awr neu ddwy cyn i neb roi blaen troed ar unrhyw lwybr i fynd i chwilio am y claf. O'r alwad ffôn gyntaf i rybuddio bod 'na ddamwain wedi digwydd, roeddan ni'n amcangyfrif ei bod hi'n cymryd rwla o gwmpas tua tair awr a hanner cyn i neb gyrraedd y claf. Heddiw, mae gan bawb ffôn, fwy neu lai, ac mae'r broses yn llawer haws a chynt. Efo achubiadau'r gorffennol roeddan ni'n dysgu wrth fynd yn ein blaenau ac roedd dringwyr a cherddwyr yn dysgu felly hefyd. Mae 'na newid mawr wedi bod mewn technoleg, sydd wedi'n helpu ni, ac mae 'na newid mawr wedi bod mewn technoleg dillad hefyd. Mae dillad heddiw yn ysgafnach o lawer ac yn gynhesach ar y cyfan, ac er na fedrwch chi guro gwlân pur mae o'n drwm ac yn cymryd dipyn o le.

Dwi'n cofio'r *fleece* gyntaf yn dod ar y farchnad, gan gwmni Helly Hansen o Sgandinafia yn yr 1970au, ac roedd pawb yn meddwl eu bod nhw'n ffantastig. Cotiau Harri Haul oeddan ni'n eu galw nhw, a dyna oedd llysenw un o landlordiaid y Crown yng Nghaernarfon yn yr hen ddyddiau. Ond mae hyd yn oed y rheiny wedi gwella ers y dyddiau hynny. O ran cotiau glaw, hen bethau PVC oeddan ni'n eu defnyddio ers talwm, wedyn y math o siacedi gwrth-ddŵr oedd yn cael eu defnyddio gan hwylwyr. Erbyn hyn mae cotiau glaw hefyd wedi datblygu tu hwnt i bob dychymyg, diolch i dechnoleg.

Efo miloedd o ymwelwyr bob blwyddyn mae'r Wyddfa'n gallu bod yn lle prysur, ond mi gewch chi adegau tawelach hefyd. Digon tawel i golli criw o 17 o bobol hyd yn oed.

Ia, dyna oedd hanes criw o Americanwyr yn ystod ymweliad

U.S. teenagers tell of ordeal on Snowdon

by Gerald Williams

FOURTEEN American teenagers and their three adult leaders survived a bitterly cold night on Snowdon huddled in large plastic bags in the lee of a cliff.

SOME of the American teenagers pictured at Penygwryd youth hostel yesterday, after recovering from the overnight ordeal on the slopes of Snowdon.

Yr adroddiad papur newydd am y digwyddiad.

â'r Wyddfa ym mis Hydref 1976. Roedd 'na 14 o bobol ifanc yn eu harddegau a thri oedolyn yn y criw, oedd wedi dod yno o orsaf y Llu Awyr yn Woodbridge, swydd Sussex, a oedd yng ngofal awyrlu'r Unol Daleithiau ar y pryd. Roedd haf y flwyddyn honno wedi bod yn un crasboeth, ond doedd y tywydd ddim yn rhyw sbesial y diwrnod hwnnw, pan aeth y criw i fyny llwybr Pyg. Roeddan nhw wedi mynd tua thri chwarter y ffordd pan ddaeth hi'n niwl trwchus. Mi gariodd y criw yn eu blaenau, ond mi gollon nhw'r llwybr, ac yn sydyn iawn roeddan nhw mewn lle reit beryglus. Roeddwn i yng nghanolfan y wardeniaid yn Nant Peris yn rheoli achubiad arall a oedd yn dirwyn i ben, pan ddaeth yr heddlu ar y ffôn i ddweud bod 'na 17 o bobol ar goll ar yr Wyddfa.

'Argian! Sut ddiawl wyt ti'n colli 17 o bobol?' medda fi'n anghrediniol. Beth bynnag, mi es i ar y radio a galw John, a oedd allan yn rhywle, a rhoi'r un neges yn union iddo fo.

Distawrwydd ... Yna, gofynnodd i mi ailadrodd y nifer unwaith eto, cyn dweud, 'Y? Sut uffar wyt ti'n colli 17 o bobol?'

Doedd ganddon ni ddim syniad ble oeddan nhw, felly roedd yn rhaid dechrau chwilio. Mi ddaethpwyd o hyd iddyn nhw yn y diwedd yn Central Trinity Gully ar Glogwyn y Garnedd. Mae fanno'n llithrig, gwlyb, rhydd ac annifyr yn yr haf, heb sôn am ar noson oer a gwlyb ym mis Hydref. Mae 'na garreg fawr yno sy'n gorwedd yn fflat ar draws yr hafn – mae dringwyr yn gorfod mynd oddi tani yn yr haf, ond yn y gaeaf, pan mae'r eira a'r rhew yn ei gorchuddio, maen nhw'n gorfod mynd drosti. Doedd 'na ddim eira a rhew y noson honno, ond roedd hi wedi tywyllu erbyn hynny a'r niwl yn dal yn dew, ac roedd John Êl ofn i gerrig ddisgyn am eu pennau nhw wrth geisio'u hachub. Roeddan nhw wedi paratoi'n dda ar gyfer eu taith, ac roedd ganddyn nhw sachau *bivouac* efo nhw, felly penderfynwyd mai'r peth doethaf fyddai iddyn nhw aros yn fanno tan y bore, o dan y garreg 'ma, yn eu sachau. Treuliodd y criw noson oer – ac anghyfforddus iawn dwi'n siŵr – ar y mynydd, yn canu er mwyn pasio'r amser a chadw'u morâl i fyny. Roeddwn innau'n eistedd ym Mhen-y-pàs yn yfed te drwy'r nos, am fod yn rhaid i rywun fod wrth ymyl y radio. Y bore wedyn llwyddodd John Êl a Jesse James i abseilio tua 500 troedfedd i'w cyrraedd, a'u gollwng nhw wedyn i Bant y Lluwchfa. Daeth yr hofrenydd i fanno i'w codi nhw i gyd yn eu tro. Aethpwyd â dwy ferch ac un bachgen i'r ysbyty oherwydd effeithiau'r oerfel, ond doeddan nhw ddim yn rhy ddrwg wrth lwc. Aeth y gweddill i Ben-y-pàs am ddiodydd cynnes a brecwast, ac roedd pawb yn gymharol iach ar ôl eu noson allan.

Pennod 20

Y Bugail Da a'r rhaff ddefaid

Yn y dyddiau cynnar, pan nad oedd gan y tîm lawer o raffau, roeddan ni'n aml iawn yn gorfod addasu i'r amgylchiadau. Dwi wedi sôn eisoes am yr hen hofrenyddion Whirlwind, a'r ffaith mai dim ond 45 troedfedd o gêbl oedd arnyn nhw. Mae un achubiad ar Glogwyn Du'r Arddu ym mis Mai 1974 yn crynhoi'r trafferthion oedd yn gallu digwydd oherwydd hynny.

Roeddan ni wedi cael galwad i helpu dringwr oedd wedi syrthio, ac yn sownd ar silff o graig. Roedd o wedi torri ei ddwy goes a'i ysgwydd, ac mi lwyddodd John Êl a Sam i abseilio i lawr ato fo, a'i roi ar strejiar yn barod i fynd am yr ysbyty. Roedd yr hofrenydd yno'n barod i fynd â fo hefyd, ond roeddan ni'n brin o raff achub. Daeth yr hofrenydd i lawr ata i i Nant Peris i chwilio am un addas, a'r unig raff achub oedd ganddon ni oedd un 125 troedfedd, sef rhaff 250 troedfedd oedd wedi cael ei thorri'n ei hanner ryw dro. Roedd hi'n hen, a doeddan ni ond yn ei defnyddio hi i achub defaid oedd yn sownd. Ond doedd gynnon ni ddim byd arall i'w gynnig, felly doedd 'na ddim dewis. Hedfanodd yr hofrenydd i waelod y clogwyn, glanio ar boncan fechan a gollwng mymryn o'i gêbl allan fel y medrai'r winshman glymu'r rhaff iddo. Wedyn, clymodd ei hun yn sownd i'r rhaff, a dechreuodd yr hofrenydd godi'n raddol nes bod y cêbl allan i gyd, a'r winshman yn hongian ar y gwaelod. Gan fod perygl i'r hofrenydd fynd yn rhy agos at y graig, roedd yn rhaid i'r winshman, John Donnelly, wneud i'r rhaff siglo fel pendil cloc er mwyn cyrraedd y silff lle'r oedd John a Sam a'r claf yn aros amdano. Roedd y claf eisoes yn ddiogel ar y strejiar, ond pan welodd y ddau warden y rhaff, roeddan nhw'n gwybod yn iawn be oedd hi.

'Blydi hel, rhaff ddefaid myn uffarn i!' oedd yr ymateb.

Er iddynt lwyddo i glipio'r rhaff a'r winshman yn sownd yn y strejiar, doedd y ddrama ddim drosodd o bell ffordd. Dechreuodd y strejiar gylchdroi, a dioddefodd y winshman fân-anafiadau wrth geisio'i rwystro rhag taro yn erbyn y graig. Dringo yn ôl i dop y clogwyn wnaeth John a Sam – dwi ddim yn meddwl eu bod nhw'n ffansïo'r rhaff ddefaid!

Roedd o'n achubiad anodd iawn, ac mi gafodd John Donnelly yr Air Force Cross am ei ddewrder. Ond roedd yn rhaid i mi chwerthin wrth feddwl yn ôl am y rhaff ddefaid, ac ymateb John a Sam pan welson nhw hi. Drwy lwc, mi wnaeth ei gwaith y diwrnod hwnnw, ond yn ystod achubiad anarferol iawn ychydig yn ddiweddarach, mi dorrodd y rhaff. Dyma be ddigwyddodd.

Ro'n i wedi cael galwad gan gymydog i mi – Emrys Lloyd Hughes, o fferm Gwastadfaes, Waunfawr – i achub un o'i ddefaid oedd wedi disgyn i dwll chwarel Treflan. Mi biciais i nôl chydig o gêr ac es i lawr yno. Mi lwyddais i'w chael hi allan, gan ddefnyddio'r rhaff ddefaid a'r bag yr oedd John Êl wedi'i ddyfeisio. Diolchodd Emrys i mi, a dyna fu. Fisoedd wedyn, mi ges alwad arall gan Emrys:

'Aled, wnei di byth goelio be sy wedi disgyn i'r twll chwarel rŵan.'

Sam yn achub dafad yn Chwarel Dorothea, Dyffryn Nantlle.

John Ellis Roberts a Chris Wharmby, warden gwirfoddol, Bwlch Llanberis.

'Duwcs ... buwch?' medda fi, am hwyl.

'Ia!' medda fo, 'Buwch!'

Bu'n rhaid cael cymorth criw go fawr ohonan ni i'w chael hi o'r lle, ac mi ddaeth y rhaff ddefaid allan unwaith eto. Ond wrth fynd ati i'w chodi mi dorrodd y rhaff. Ia, y rhaff honno yr oedd John Êl a Sam yn poeni ei bod hi'n mynd i dorri ar Glogwyn Du'r Arddu. Diolch byth, roeddan ni hefyd wedi rigio winsh llaw a rhaff-wifrau i godi'r fuwch, felly chafodd hi ddim niwed, ac mi gawson ni hi o'na yn llwyddiannus. Ond dyna oedd diwedd y rhaff ddefaid honno.

Fel wardeniaid efo'r Parc, roedd achub defaid yn rhywbeth oedd yn digwydd yn aml iawn, a chafodd sawl un ohonon ni wobrau gan y Gymdeithas Er Atal Creulondeb i Anifeiliaid (RSPCA) am ein gwaith. Mae'n swnio'n beth eitha hawdd i'w wneud, ond coeliwch chi fi, doedd o ddim mor hawdd â hynny (er bod John Êl yn hen law arni). Mae defaid yn greaduriaid ofnus a chwithig ar y gorau, ond rhowch chi nhw ar silffan gul ar ochr mynydd, efo dyn yn abseilio i lawr atyn nhw, ac mae'n gallu bod yn sefyllfa beryglus. Roeddan ni'n rhoi ein bywydau mewn perygl, mewn ffordd, i'w hachub nhw. Ond weithiau mi fydden ni'n gadael llonydd i ddafad oedd yn sownd, ac yn aml iawn byddai'n canfod ei ffordd ei hun oddi yno. Doedd gadael iddi am wythnos neu ragor ddim yn anghyffredin, a'r rheswm am hynny oedd y byddai'n wan ar ôl diffyg bwyd, ac felly'n peri llai o berygl i bwy bynnag fyddai'n ceisio'i hachub hi. Yn aml,

Tystysgrifau am achub defaid gan yr RSPCA yn cael eu cyflwyno i mi, John a Sam yn yr 80au.

roedd dau ohonon ni'n gosod rhaffau yn sownd ar dop y clogwyn ac yn abseilio i lawr, un bob ochr i'r ddafad. Y gamp wedyn oedd ei chael hi i'r bag neu'r harnais. Yna, os nad oedd hofrenydd o gwmpas, byddai un dringwr yn abseilio i lawr i waelod y clogwyn efo'r ddafad, a'r llall yn mynd yn ôl i fyny er mwyn rhyddhau'r belai ar y top.

Mi ges i fwy nag un dystysgrif am achub defaid gan y gymdeithas yn ystod fy ngyrfa. Ac yn 1977 mi ges i ffon bugail yn wobr ... ond nid

Fi a'r ffon a 'Bugail Da' wedi ei gerfio arni.

am achub defaid. Na, aelodau'r tîm achub roddodd yr wobr hon i mi.

Dipyn o hwyl oedd o mewn ffordd, a'r cefndir oedd fy mod wedi helpu i achub tad, dau fab a ffrind oedd ar goll ar yr Wyddfa, a'u bod nhw wedi fy ngalw'n Fugail Da am eu tywys nhw i ddiogelwch. Cyflwynwyd y ffon i mi, efo'r geiriau 'Bugail Da' wedi eu cerfio arni, gan Syr Michael Duff yn ein cinio blynyddol. Mi fues i'n fugail ym Mhasiant Gŵyl y Geni yng Nghapel y Waun, Waunfawr yn 1954, ond dwi ddim yn siŵr oeddwn i'n haeddu cael fy ngalw'n 'fugail da' bryd hynny chwaith, a minnau'n hogyn wyth oed digon direidus.

Mi ges i wobr arall annisgwyl yn 2005, a doeddwn i ddim yn rhy hapus i'w derbyn hi ar y pryd. Tystysgrif am Wasanaeth Rhagorol, neu Certificate for Distinguished Service oedd y wobr, cydnabyddiaeth sy'n cael ei rhoi i un person yn y maes achub mynydd yn achlysurol gan gymdeithas genedlaethol y timau achub. Mae enw'r gymdeithas wedi newid fwy nag unwaith dros y blynyddoedd, felly mi ddefnyddiaf yr enw cyfredol arni, Achub Mynydd Lloegr a Chymru (Mountain Rescue England & Wales). Mae'n wobr uchel ei pharch, sydd ddim yn cael ei rhoi ar chwarae bach. Mae'r enwebiad yn gorfod cael ei gymeradwyo gan gangen leol i ddechrau ac yna gan y corff cenedlaethol, ond ro'n i'n flin fod fy nghyd-aelodau ar y tîm wedi mynd tu ôl i fy nghefn i i f'enwebu. Doeddwn i ddim yn teimlo 'mod i'n haeddu'r wobr fel unigolyn – rhan o dîm o'n i, felly ro'n i'n ei gweld hi – ond wrth gwrs, ro'n i'n falch iawn o'i derbyn hi. Am y tro cyntaf erioed, fel dwi'n deall, mae'r geiriad ar y dystysgrif yn Gymraeg a Saesneg. Dyma mae'n ddweud arni:

Cyfrannodd Aled Taylor yn sylweddol i hyrwyddo diogelwch ar fynyddoedd Eryri a'r Deyrnas Unedig. Bu'n gweithio yn ddiflino fel achubwr gweithredol ar y mynyddoedd, yn ogystal ymgyrchodd yn frwd dros ddiogelwch ar y mynydd a'r bryniau drwy godi ymwybyddiaeth y cyhoedd er mwyn lleihau nifer a difrifoldeb y damweiniau. Bu ei waith ar lefel cenedlaethol o gymorth wrth ffurfio a diwygio arferion achub mynydd rhanbarthol a chenedlaethol yng Nghymru.

Fi yn derbyn tystysgrif gan yr heddlu ar ran wardeniaid y gogledd am ein gwaith achub dros y blynyddoedd.

Ym mhencadlys yr heddlu yn Preston y derbyniais y dystysgrif, a chwarae teg iddyn nhw, mi wnaethon nhw'r cyflwyniad yn gynnar am fy mod i isio mynd yn ôl adra i weld gêm rygbi Cymru yn erbyn Awstralia ar y teledu. Mi enillon ni 24–22, felly roedd o'n ddiwrnod arbennig o dda i mi.

Pennod 21

Bathu enwau

Mae enwau lleoedd yn bwnc poblogaidd – pwnc llosg, hyd yn oed – yng Nghymru, a dwi wedi bod yn dyst i sut y cafodd rhai llefydd ar yr Wyddfa eu henwau. Mae pontydd newydd yn enghraifft dda o hyn. Does dim rhaid bedyddio pont newydd, wrth gwrs, a does gan bob un ohonyn nhw ddim enw. Ond mae o'n gwneud pethau'n haws i bawb, yn enwedig wrth gyfeirio achubwyr, os oes gan y lle-a'r-lle enw penodol. Cymerwch Pont Dal Arni er enghraifft ...

Roedd tîm o weithwyr stad wedi bod yn adeiladu pont ger Llyn Glaslyn ar lwybr y Mwynwyr dan oruchwyliaeth John Dawson, un o'r cyn-wardeniaid. Ar ôl i'r hogia orffen y bont roeddan nhw'n awyddus i fynd ymlaen at y joban nesaf, ond bob tro yr oeddan nhw'n gofyn i John be oedd o isio iddyn nhw'i wneud nesaf, ei ateb fyddai: 'Daliwch arni am dipyn bach, hogia. Daliwch arni.' Pan ofynnodd rhywun i'r hogia lle'r oeddan nhw'n gweithio ar y pryd, eu hateb oedd 'Pont Dal Arni'. A dyna ydi ei henw hi hyd heddiw.

Cymerwch chi Bont Sowldiwrs wedyn ...

Fel y soniais eisoes, roedd y fyddin yn ein helpu ni allan yn aml iawn fel diolch am ein help ninnau iddyn nhw. O gwmpas 1972–73 roedd aelodau o'r fyddin yn ein helpu i osod pont ar lwybr Pyg, yr ochr arall i Fwlch y Moch. Doeddwn i ddim hyd yn oed yn warden gwirfoddol ar y pryd, dim ond digwydd bod ym Mhen-y-pàs o'n i, a gweld nad oedd llawer o neb o gwmpas i roi help llaw ac i ddangos y ffordd i'r sowldiwrs. Pont wedi ei gwneud allan o bolion teligraff oedd hon, ac roedd hi wedi cael ei rhoi at ei gilydd yn barod gan weithwyr y Parc, a gwaith y sowldiwrs oedd ei chludo hi i'w lle. Mi aeth hi ar gefn trelar efo Land Rover o Ben-y-pàs i Lyn Llydaw, ond roedd yn rhaid ei chario hi â llaw am tua chwarter milltir, i fyny ochr serth tua 150 metr, ac ymlaen ar lwybr bach arall cyn ei gosod yn ei safle barhaol. Roedd un criw'n cario am dipyn, wedyn criw arall yn cymryd drosodd, fel râs gyfnewid, bron. I wneud pethau'n waeth roedd hi'n piso bwrw y

Pont Sowldiwrs heddiw.

diwrnod hwnnw, a phan gyrhaeddon ni at ble'r oedd y bont i fod i fynd, roedd 'na gymaint o lif yn yr afon fel mai'r unig beth y llwyddwyd i'w wneud oedd lluchio'r bont, rywsut-rywsut braidd, dros yr afon. Felly y bu hi am flynyddoedd, a chafodd ei bedyddio gan un o'r criw yn Pont Sowldiwrs, yn ddigon naturiol. Flynyddoedd yn ddiweddarach penderfynodd rhywun y dylid rhoi peipan 24 troedfedd efo llwybr drosti yn lle'r bont. Ond ar ôl dipyn, gwelwyd bod y beipan yn blocio'n aml ac yn achosi i'r afon orlifo, felly aethpwyd yn ôl at yr hen drefn a chodi pont newydd efo trawstiau rheilffordd. Ond Pont Sowldiwrs oedd enw honno hefyd. Dyna oedd hi, a dyna fydd hi am byth, am wn i.

Mae 'na Bont *Daily Post* ar lwybr Pyg hefyd, ddim yn bell o Ben-y-pàs. Mi godwyd hon gan weithwyr y Parc ryw flwyddyn neu ddwy ar ôl Pont Sowldiwrs, a daeth ffotograffydd o'r *Daily Post* i dynnu ei llun, felly dyna sut cafodd honno ei henw.

Roedd ganddon ni enwau doniol eraill ar rai o'r cymoedd a'r clogwyni o'n cwmpas – rhyw jôc bach ymysg ein gilydd er mwyn ysgafnhau'r daith, fel petai. Er enghraifft, Paddy's Gap o'n i'n galw Bwlch y Gwyddyl, a Moel Gyts oedd Mynydd Perfedd. Roedd 'na domatos yn tyfu mewn gwtar bychan jest o dan gopa'r Wyddfa, a'r rheswm am hynny oedd bod pwll carthion adeilad y copa yn gorlifo yno, ac roedd hadau tomato wedi egino yno! Tomato Gully oedd enw Sam a finna ar y lle. A Castell Codwm fydd Castell Cidwm i ni am byth.

Mae 'na dipyn o sylw wedi bod yn y blynyddoedd diwetha i Saeson yn bathu enwau newydd am lefydd sydd ag enwau Cymraeg hyfryd, enwau sydd wedi bod mewn defnydd ers cyn cof: llefydd fel Cwm Cneifion ar y Glyder Fawr, oedd yn cael ei alw'n Nameless Cwm am ryw reswm. Mae talfyriadau o enwau Cymraeg yn corddi rhai hefyd, fel Clogwyn Du'r Arddu yn cael ei alw'n Cloggy. Ond enwau Saesneg yn unig sydd ar y rhan fwyaf o ddringfeydd Eryri. Dydyn nhw erioed wedi cael enw Cymraeg, a'r rheswm am hynny yw mai dringfeydd ydyn nhw, a'r dringwyr eu hunain sydd wedi'u henwi nhw. Yn y dyddiau cynnar roedd y rhan fwyaf o'r dringwyr rheiny'n Saeson, ac mae hynny'n dal yn wir i raddau helaeth. Er enghraifft, Joe Brown a Don Whillans o Fanceinion oedd y rhai cyntaf i ddringo Cemetery Gates yn 1951. Dringfa ar glogwyn Dinas y Gromlech yn y Pàs ydi hon, ac yn ôl yr hanes, cafodd ei henw pan aeth y ddau ddringwr yn ôl i Fanceinion a gweld bws oedd yn mynd at Cemetery Gates, ac mi feddyliodd un ohonyn nhw y byddai hwnnw'n enw addas ar gyfer y ddringfa! Mae'n siŵr bod 'na straeon difyr tu ôl i enwau nifer fawr o'r dringfeydd yma. Un o'r rhai mwyaf poblogaidd yn Eryri ym misoedd y gaeaf, pan mae 'na rew ac eira ar y mynydd, ydi Trinity Gully ar Glogwyn y Garnedd, uwchben Glaslyn. Dwi ddim yn siŵr sut cafodd y ddringfa ei henwi, ond mae 'na sawl dringfa ar wyneb Clogwyn y Garnedd, yn cynnwys Central Trinity, Left Hand Trinity a

Right Hand Trinity, ac mae 'na dros 30 o wahanol ddringfeydd ar Glogwyn y Garnedd yn unig, pob un ag enw anarferol, Saesneg fel arfer. Mae enwau Cymraeg ar ddringfeydd yn brin, ond mae 'na gwpwl o enghreifftiau. Mae Clogwyn Du'r Arddu yn un o'r llefydd gorau ym Mhrydain i ddringo, ac mae 'na dros 200 o wahanol ddringfeydd arno yn ôl gwefan UK Climbing, yn cynnwys ambell enw Cymraeg megis Llithrig, Serth, Gormod, Medi, Syth, Mynedd a Diwedd Groove. Mae 'na un neu ddwy o esiamplau o chwarae ar eiriau Cymraeg hefyd, fel Dinas in the Oven, a Naddyn Ddu neu Nah then thee (*now then thee*) – dringfa a enwyd gan rywun o Swydd Efrog, o bosib? Mae 'na Gwyn ein Byd ar Glogwyn y Garnedd, a Dagrau'r Graig ar Dinas Mot i enwi dau arall, ond maen nhw'n ddigon prin ar y cyfan.

Sea King mewn achubiad ar Grib Goch.

Pennod 22

Y rhyfedd a'r anarferol

Fyddech chi ddim yn coelio'r rhyfeddodau dwi wedi'u gweld yn ystod fy ngyrfa yn warden ac aelod o'r tîm achub. A dwi ddim yn sôn yn unig am Lili'r Wyddfa nac unrhyw blanhigyn neu greadur prin arall. Ydyn, mae'r rheiny'n rhyfeddodau ond mae pobol yn rhyfeddach fyth yn aml iawn.

Cymerwch y pethau mae pobol yn eu gwneud i godi arian at achosion da, er enghraifft. Mae gwthio gwely i fyny'r Wyddfa neu fynd i fyny yn eich pyjamas, y math yna o beth, wedi dod mor boblogaidd nes bod y Parc a Thîm Achub Llanberis wedi cyhoeddi canllawiau arbennig ar gyfer rhai sydd am gyflawni heriau o'r fath.

Dwi'n synnu pa mor greadigol a gwreiddiol mae pobol yn gallu bod wrth feddwl am y rhain. Dwi wedi gweld pobol yn cario neu'n gwthio pob math o bethau i fyny. Mi gawson ni gymorth criw y trên bach fwy nag unwaith i fynd ag oergelloedd i lawr. Yn amlwg mae pobol yn ddigon parod i'w cario nhw i fyny, ond ddim i'w cario nhw'n ôl i lawr. Gadael y broblem honno i bobol eraill oeddan nhw fel arfer.

Mi ddaeth 'na rywun at Sam a finnau ym Mhen-y-pàs un tro i ddweud ei fod o a'i ffrindiau wedi colli teiar tractor ar y mynydd! Roedd y boi wedi brifo (roedd o'n iawn ar ôl dipyn o gymorth cyntaf ganddon ni), ond roedd yr eglurhad am ei anafiadau yn annisgwyl iawn. Roedd o a'i ffrindiau – tua 12 ohonyn nhw – yn rowlio (a llusgo a gwthio) teiar tractor i fyny'r Wyddfa o Lanberis, ond mi gawson nhw ddamwain ddim yn bell o'r copa. Mi gollon nhw reolaeth o'r teiar, ac o ganlyniad mi rowliodd i ffwrdd gan fynd â'r boi 'ma efo fo i gyfeiriad Cwm Clogwyn. Dyna sut cafodd ei anafiadau.

'Why didn't you let go of the tyre?' meddan ni.

'Oh, I was attached to it,' eglurodd!

Er ei fod o wedi cael ei glymu i'r teiar, rywsut mi fedrodd ddod yn rhydd – a lwcus ei fod o wedi llwyddo, achos mi aeth y teiar yn ei flaen a dros yr ochr. Dod i ddweud wrthon ni am y ddamwain wnaethon nhw, gan ychwanegu eu bod nhw am nôl y teiar o Gwm Clogwyn ... ond dwi ddim yn siŵr os wnaethon nhw ai peidio.

Mi aeth dwy ferch i fyny'r mynydd un tro yn gwisgo dim byd ond bra a nicyrs bob un, sanau *fishnet*, ac esgidiau cerdded a *gaiters* am eu traed. Ac i goroni'r cyfan roedd ganddyn nhw gotiau glaw *see-through*!

Does gin i ddim byd yn erbyn pobol sy'n gwneud y math yma o bethau, cyn belled â'u bod nhw'n ddiogel a ddim yn amharu ar fwynhad neb arall. Ond yn amlach na pheidio, yn anffodus, dydyn nhw ddim yn ateb 'run o'r gofynion hynny. Dydi mynd i fyny'r Wyddfa yn eich pyjamas neu ddillad nofio neu wisg ffansi ddim yn syniad rhy dda, hyd yn oed ar ddiwrnod braf. Fel dwi wedi dweud o'r blaen, mae'n rhaid parchu'r mynydd bob

Joe a Sam Roberts efo'r merched hanner noeth.

amser. Mae grwpiau mawr yn gallu cymryd y llwybrau drosodd, a does 'na'm dwywaith fod digwyddiadau fel hyn yn achosi problemau a gwaith i'r wardeniaid. Sbwriel ydi'r brif gŵyn. Mae digwyddiadau codi arian i elusen yn gallu denu degau os nad

Cario sbwriel o'r parc a'r meysydd parcio ar ôl penwythnos.

Sbwriel yn Mhen-y-pàs ar fore Llun.

cannoedd o bobol i gymryd rhan, ac yn anffodus, er gwaethaf apeliadau gan y trefnwyr a ninnau, mae 'na wastad lwyth o sbwriel o gwmpas ar eu holau. Dwi'n cofio i ni gasglu saith bag bin du o sbwriel rhwng Pen-y-pàs a Llyn Llydaw yn unig ar ôl un digwyddiad o'r fath, ond roedd hynny flynyddoedd yn ôl – mae'r broblem wedi gwaethygu ers hynny. Roedd 'na griw yn mynd rownd dair gwaith yr wythnos i hel sbwriel o feysydd parcio o gwmpas yr Wyddfa ar ddydd Gwener, dydd Llun a dydd Mercher, ac roeddan nhw hel llond cefn Land Rover o fagiau duon bob tro, fwy neu lai. Er, wn i ddim pam rydan ni'n synnu chwaith ... mae dringwyr yn gadael tomenni o sbwriel ar Everest bob blwyddyn, felly does nunlle'n sanctaidd, ma' raid. Y neges ydi: ewch â fo adra efo chi!

Mae rhedeg mynydd wedi dod yn gamp boblogaidd iawn yn Eryri. Y digwyddiad mwyaf ydi Ras yr Wyddfa, sy'n denu rhedwyr o dramor yn ogystal â phob rhan o wledydd Prydain. Syniad Ken Jones o Lanberis oedd y râs, a gafodd ei sefydlu yn 1976 fel rhan o garnifal y pentref, ond mae hi wedi tyfu a thyfu dros y blynyddoedd. Mi fuon ni'n helpu allan efo'r rhai cyntaf, ond mae hi'n cael ei threfnu'n dda a thrylwyr iawn, chwarae teg, a doedd hi ddim yn effeithio llawer arnon ni wardeniaid. Efo cymaint o redwyr, stiwardiaid a phobol yn gwylio'r ras, mae'n gallu bod yn broblem i rai sydd ddim ond isio cerdded i fyny'r Wyddfa. Ond ras fer ydi hi o ran amser – mae'r rhan fwyaf yn ei chwblhau rhwng ychydig dros awr a dwy awr – felly mae 'na ddigon o amser ar ôl yn y diwrnod i'r cerddwyr, ac mae 'na 364 o ddyddiau eraill mewn blwyddyn hefyd, wrth gwrs.

Mae 'na reolau caeth a chymhleth i'w dilyn wrth farnu a ydi mynydd yn fynydd ai peidio. Yng Nghymru, dim ond y copaon hynny sydd dros 2,000 o droedfeddi sy'n cael eu hystyried yn fynyddoedd, ac mae 'na 189 o'r rheiny. Mae 'na 15 copa dros 3,000 o droedfeddi hefyd (17 os ydach chi'n cyfri Carnedd

Gwenllian a Chastell y Gwynt, ond copaon sy'n rhan o gribau neu fynyddoedd eraill ydi'r rheiny, felly dydi pawb ddim yn eu hystyried yn gymwys). Ar un adeg yn yr 1970au cynnar roedd y fyddin yn arfer cynnal ras 14 copa rhwng gwahanol gatrodau. Mi ddaru hi fynd yn rhy gostus iddyn nhw yn y diwedd, achos roedd y *top brass* – y cyrnols ac yn y blaen – yn hedfan i mewn efo hofrenyddion i'w gwylio nhw. Tua'r un pryd mi ddaru Dr Ieuan Jones ac eraill ddechrau Ras Copaon 1000m Cymru – y pum mynydd yn Eryri sydd dros 1000 metr (3,280 troedfedd), sef Carnedd Llewelyn, Carnedd Dafydd, Glyder Fawr, Carnedd Ugain a'r Wyddfa. Mae honno'n dal i fynd heddiw, ac mae gan nifer o bentrefi a threfi'r ardal eu rasys eu hunain hefyd erbyn hyn, yn cynnwys Ras Moel Eilio o Lanberis, Ras Elidir o Nant Peris a Ras Moel Hebog o Feddgelert, i enwi dim ond rhai.

Roedd ganddon ni berthynas dda efo cwmni trên bach yr Wyddfa, ac roeddan ni'n cael cario ambell beth ar y trenau os oedd o'n gyfleus. Ond mi gawson ni gyfle i dalu'n ôl iddyn nhw yn 1993, pan ddaeth injian stêm oddi ar y cledrau rhwng Gorsaf Clogwyn a'r copa. Mis Ebrill oedd hi, felly doedd hi ddim yn cario teithwyr ar y pryd, ond cafodd y dyn tân, Evan Humphreys o Lanberis, ei anafu. Daeth hofrenydd i godi rhai o'r tîm achub yn Nant Peris, ac aethpwyd â nhw i Clogwyn, lle rhoddwyd cymorth cyntaf iddo cyn ei hedfan i'r ysbyty.

Fasa pennod ar ddigwyddiadau anarferol ddim yn gyflawn heb y stori nesa 'ma. Heb os, hwn oedd yr achubiad rhyfeddaf y bûm yn rhan ohono erioed. Cafodd Sam a finna alwad gan ganolfan wybodaeth ymwelwyr Beddgelert un prynhawn, yn dweud bod 'na ystlum mewn trafferthion. Wir yr! Roedd o wedi mynd yn sownd mewn bachyn a lein 'sgota mewn coeden wrth ymyl y ganolfan, ac mi oeddan nhw wedi'n ffonio ni am na wyddan nhw pwy arall i'w trio. Dyma ni'n mynd i lawr yno, ac ar ôl gweld be oedd y sefyllfa, codais Sam ar f'ysgwyddau, a llwyddodd o i gael yr ystlum yn rhydd. Ond y broblem oedd, be i'w wneud â fo? Ble oeddan ni am ei roi o fyddai'n ddigon tywyll a diogel? Gwelodd Sam gwt wrth ymyl yr eglwys, a meddwl y byddai hwnnw'n ddelfrydol. Roedd 'na hafnau hirsgwar yn y waliau, tebyg i'r rhai welwch chi ar waliau castell, a dyma ni'n gwthio'r ystlum i mewn drwy un o'r rhain. Ond yn syth ar ôl iddo fynd i'r tywyllwch, mi sylweddolon ni nad cwt cyffredin oedd o, ond cwt trawsffurfiwr (*transformer*) trydan. Wps! Doedd o ddim mor ddelfrydol wedi'r cwbl. Ond dwi'n siŵr bod y creadur bach wedi llwyddo i ddod oddi yno'n saff. Dyma ni'n picio i'r ganolfan wedyn, i ddweud wrthyn nhw fod popeth yn iawn a bod yr ystlum yn rhydd.

'O, 'dan ni wedi galw'r RSPCA,' meddan nhw, 'ac maen nhw wedi galw'r Frigâd Dân ac mae'r rheiny ar y ffordd!'

O diar. Cau ein cegau wnaethon ni, dweud ta-ta, a mynd yn ddistaw bach drwy'r drws. Ond ar y ffordd yn ôl i Ben-y-pàs, be ddaeth i'n cwfwr ni yn Nant Gwynant ond uned anifeiliaid bychain y Frigâd Dân, a'r goleuadau glas yn fflachio a'r seiren yn canu ... i achub ystlum!

Pennod 23

Clywed miwsig nefolaidd ar y llethrau

Mae Eryri yn lleoliad poblogaidd ar gyfer ffilmiau, ac mae sawl blocbyster wedi cael ei gynhyrchu yn yr ardal. Fues i ddim yn ymwneud llawer â hynny – roedd 'na lot fawr o sefyllian o gwmpas yn gwneud dim byd, felly ro'n i'n dueddol o ffeindio rwbath arall i'w wneud pan oeddan nhw o gwmpas. Yr unig beth oedd yn dda amdanyn nhw oedd y bwyd! Roeddan nhw'n dod ag arlwywyr eu hunain, ac fel arfer roedd 'na fwyd da iawn i'w gael! John Êl fyddai'n gwneud unrhyw waith trefnu efo'r cwmnïau ffilmio. Roeddan nhw'n llogi hofrenydd i gario'u holl gêr, a'r unig beth fues i'n ei wneud oedd rhoi cyfarwyddiadau i hebrwng yr hofrenydd i lanio, a gwneud yn siŵr bod y camerâu ac ati'n cael eu gollwng yn saff ac mewn lle diogel. Os oedd 'na unrhyw beth i'w wneud yn gynnar yn y bore, fi fyddai'n ei wneud o, yn amlach na pheidio. Fel y byddai Sam yn dweud: 'Mae Còch yn codi mor gynnar yn y bore, fo sy'n deffro'r adar bach!'

Felly, na, wnes i ddim cwrdd ag unrhyw un o sêr Hollywood, ddim hyd yn oed Syr Anthony Hopkins, a oedd yn ymwelydd cyson ag Eryri ar un adeg. Fel llywydd yr Ymddiriedolaeth Genedlaethol, fo oedd 'wyneb' yr ymgyrch i brynu stad Hafod y Llan a Gelli Iago yn 1998 – 4,000 o erwau oedd yn cynnwys rhan helaeth o'r Wyddfa. Mi fu o yma sawl tro yn hyrwyddo'r gwaith codi arian, ac mi faswn i wedi bod wrth fy modd yn ei gyfarfod. Ond wnaeth neb feddwl fy nghyflwyno fi iddo fo. Fi oedd warden yr Wyddfa pan agorwyd adeilad newydd Hafod

Eryri ar y copa yn 2009, ond ches i ddim gwahoddiad i'r agoriad swyddogol. Doedd y math yna o beth ddim yn syndod i mi, a doedd o'n poeni dim arna i chwaith.

Fedra i ddim dweud fy mod i'n gefnogwr brwd o'r Ymddiriedolaeth Genedlaethol. Corff Seisnig ydi o yn y bôn, neu felly fydda i'n meddwl amdano. Criw'r *tweed* a'r melfaréd – cymdeithas ar gyfer y bobol fawr yn hytrach na'r werin, dyna'r argraff yr ydw i, a llawer 'run fath â fi, yn ei gael o'r Ymddiriedolaeth, ac mae eraill yn feirniadol am eu bod nhw'n prynu cymaint o dir ac eiddo yng Nghymru. Ond adeg yr ymgyrch i godi arian, mi ddaru nhw dwyllo pobol yn fy marn i. Roeddan nhw'n rhoi'r argraff, trwy gydol yr ymgyrch, bod yr Wyddfa ar werth. Doedd o ddim. Fferm oedd ar werth. Roedd enw'r ymgyrch – 'Save Snowdon' – yn gamarweiniol a dweud y lleia. Tua traean o'r Wyddfa oedd ym mherchnogaeth Hafod y Llan, yn cynnwys rhan o'r copa. Mae tir Hafoty Newydd, eiddo Stad y Faenol, yn ymestyn o Lanberis i ben yr Wyddfa, a thir Gwastadanas, fferm stad Baron Hill, Biwmares, yn ymestyn o Nant Gwynant i'r copa.

Roedd teulu Pyrs Williams wedi ffermio Hafod y Llan ers oes yr arth a'r blaidd – 14 cenhedlaeth meddan nhw – ac roedd Pyrs yn hoff o atgoffa pobol o hynny. Mi fyddai'n dweud pethau fel, 'Pasio drwodd ydach chi, 'dan ni yma ers canrifoedd.' Mi sgwennodd Llywelyn Ein Llyw Olaf lythyrau at y brenin Edward I o Hafod y Llan, mae'n debyg. Symudodd Richard (ŵyr Pyrs, y mae sôn amdano yn y penillion am Duck) at ei daid i redeg y fferm ychydig cyn ei farwolaeth. Yna, ar ôl i Pyrs ein gadael ni, penderfynodd y teulu roi'r lle ar y farchnad.

Codwyd dros £4m yn ystod ymgyrch yr Ymddiriedolaeth Genedlaethol, a phrynwyd y tir, yr adeiladau, yr holl stoc ac yn y blaen, am tua £3.6 miliwn. Yr Ymddiriedolaeth sy'n ffermio'r lle bellach, gyda chadwraeth yn flaenllaw yn y ffordd y maen nhw'n mynd o'i chwmpas hi. Maen nhw wedi gwario'n sylweddol ar Hafod y Llan, Gelli Iago ac ambell ffem neu eiddo arall y maen nhw wedi eu prynu yn y cyffiniau, fel Craflwyn a Llyndy Isaf ger Beddgelert.

Dwi'n cydnabod eu bod nhw wedi gwneud gwaith da yn Hafod y Llan, ac ella bod y ffem yn fwy effeithlon nag yr oedd hi. Mae 'na gynllun trydan dŵr yno rŵan hefyd. Ond dydi pawb ddim yn hoffi hwnnw! Dwi wedi clywed rhai'n dweud ei fod o'n tynnu oddi wrth y lle. Giatiau pren ydi'r rhan fwyaf, os nad y cyfan, o'r rhai welwch chi ar eiddo'r Ymddiriedolaeth, a dwi ddim yn rhy hoff o hynny fy hun chwaith. Yn fy marn i, rhai haearn sy'n draddodiadol yma. Bosib eu bod nhw'n cael eu gwneud yn ffowndris y chwareli neu'r gweithfeydd copr yn yr ardal ers talwm. Dwi'n meddwl eu bod nhw'n edrych yn well, ac yn para'n hirach hefyd.

Chafodd y pryniant ddim lot effaith arnon ni yn y Parc a dweud y gwir. Roedd gan yr Ymddiriedolaeth eu gweithwyr eu hunain, ac roeddan ni'n cydweithio'n iawn ymysg ein gilydd.

Yn ogystal â ffilmiau sinema, mae tirlun dramatig Eryri yn denu cwmnïau i wneud ffilmiau hyrwyddo neu hysbysebu yma hefyd. Roedd y Bwrdd Croeso yn ffilmio hysbyseb ar lethrau Lliwedd un tro, ac wedi dod â'r delynores Elinor Bennett i ganu'r delyn yno. Roedd o'n drawiadol iawn clywed y gerddoriaeth 'ma ar y llethrau ben bore, ond roedd rhai o'r bobol oedd yn cerdded i fyny'n methu deall o ble'r oedd y seiniau hyfryd yn dod. Roeddan nhw'n meddwl eu bod nhw wedi marw a mynd i'r nefoedd!

Mae'r stori honno'n f'atgoffa am yr adeg y daeth athrawes gerdd o Lundain i fyny yma i serenêdio John, Sam a finnau. Roedd Harriet Longman wedi dod â'i mab i fyny i Blas y Brenin am wersi dringo, ac wedi penderfynu mynd am dro hamddenol i fyny'r Wyddfa un prynhawn. Mis Ebrill 1996 oedd hi, ac roedd Harriet wedi cychwyn o Ben-y-pàs ar lwybr Pyg, ac er bod 'na eira a chlytiau o rew yma ac acw ar y mynydd, roedd y llwybrau'n weddol glir. Ond ar ôl dwy awr o gerdded, daeth y niwl i lawr, a chollodd Harriet y llwybr. Daeth ar draws cerddwr arall oedd yn yr un picil, ac aeth y ddau yn eu blaenau gan feddwl y deuent o hyd i'r llwybr yn fuan. Ond mynd i fwy o drafferth wnaethon nhw. Roeddan nhw yng nghanol rhew caled yng nghyffiniau Clogwyn y Garnedd erbyn hynny, ac roedd hi'n mynd yn fwy a mwy llithrig a pheryglus. Roedd cwymp serth o

187

gannoedd o droedfeddi oddi tani ac yn y diwedd penderfynodd Harriet na allai fynd ymhellach. Ond fedra hi ddim mynd yn ôl chwaith, ac eisteddodd ar ei chwrcwd ar silffan fechan o rew, ofn symud na bys na bawd. Fedrai hi ddim symud i edrych ar ei horiawr hyd yn oed. Penderfynodd ei chyd-gerddwr fynd yn ei flaen, a dechreuodd Harriet weiddi am help. Ymhen hir a hwyr, clywodd rhywun ei galwadau, a ffoniodd am gymorth. Clywodd Harriet sŵn yr hofrenydd wedyn, ac yna llais Sam yn dweud wrthi fod popeth yn iawn, fod help ar y ffordd, ond na allai ei chyrraedd hi o'i safle ar y clogwyn. Yna, clywodd synau rhywun arall yn dringo'r rhew, ac yn sydyn reit ymddangosodd wyneb John Êl. Gollyngodd John hi i lawr ataf fi yng ngwaelod y *gully*, lle'r oeddwn yn dal y rhaff.

Mewn adroddiad yn y *Daily Post* dywedodd John ei bod hi'n hynod o lwcus.

'Petai hi wedi llithro oddi ar ei silff o rew, mi fyddai wedi disgyn i lawr clogwyn 400 troedfedd, a glanio ar sgri yn y gwaelod a chael ei lladd,' meddai.

Roedd Harriet yn ennill ei bywoliaeth drwy ddysgu'r fiola, ac roedd hi hefyd yn aelod o bedwarawd llinynnol y Valka String Quartet, felly fel ffordd o ddiolch i ni, trefnodd gyngerdd yn Eglwys St Padarn, Llanberis, i godi arian at y tîm achub. Ym mis Gorffennaf yr oedd y cyngerdd hwnnw, a chafodd John, Sam a minnau gyfle i glywed sŵn ei fiola ar lethrau'r mynydd pan ddaeth Harriet i ddweud diolch yn fawr wrthon ni.

Pennod 24

Colli John Êl

Roedd o'n un o'r dyddiau hynny sy'n aros yn y cof. Un o'r dyddiau yr ydach chi'n cofio'n union lle oeddach chi a be oeddach chi'n wneud, am fod rhywbeth arall wedi digwydd yr un diwrnod i'ch atgoffa, fel y digwyddiad hwnnw yn nhwll chwarel Cefn Du, ddyddiau ar ôl trychineb Aber-fan.

Gorffennaf 17, 2014 oedd hi, tua amser cinio, ac adra o'n i ar y pryd pan ganodd y ffôn.

'Còch, dwi ddim yn gwybod sut i ddeud hyn wrthat ti, ond mae 'na ddamwain wedi bod ar Ddinas Cromlech, ac mae'n ymwneud â John Êl.'

Gruff Owen, aelod o'r tîm achub a chyd-weithiwr yn y Parc oedd ar y ffôn, ac mi ddywedodd hefyd bod y tîm a'r hofrenydd allan. Ro'n i'n gwybod wedyn ei bod hi'n sefyllfa ddifrifol iawn, ac yn ofni'r gwaethaf. Ymhen rhyw awr wedyn mi ges i alwad arall gan Gruff yn dweud yn syml, 'Mae John 'di marw, Còch.'

Er fy mod wedi amau'r gwaethaf, roedd hi'n dal yn sioc ac yn ergyd. Roeddan ni wedi gwneud cymaint efo'n gilydd drwy'r blynyddoedd.

Roedd dringwr o'r enw Peter Vaughan-Smith yn awyddus i goncro dringfa Cemetery Gates ar Ddinas Cromlech, ac roedd o wedi gofyn i John Êl ei arwain. Os cofiwch chi, hon oedd y ddringfa gafodd ei dringo am y tro cyntaf a'i henwi gan Joe Brown a Don Whillans. Roedd hi'n ddringfa anodd yn eu dyddiau nhw, ac roedd John wedi'i harwain hi o'r blaen, heb sôn am achub nifer o fywydau yn Ninas Cromlech dros y blynyddoedd. Ond mi eglurodd John wrth Peter Vaughan-Smith nad oedd o'n meddwl y gallai ei harwain hi bellach. Roedd o'n 70 oed erbyn hynny, er ei fod yn dal yn heini. Ond rhag siomi Peter, dyma fo'n awgrymu syniad arall. Cynigiodd gerdded i fyny, fel ei fod ar dop y clogwyn, abseilio i lawr at silff tua 70 troedfedd o'r top, a gollwng rhaff i lawr i Peter allu dringo'n ddiogel. Popeth yn iawn. Ond pan oedd o tua hanner ffordd i fyny, dyma Peter yn gweiddi ar John i ddweud, 'I can't make it.'

'OK,' medda John, a dyma fo'n ei ollwng yn ôl i lawr, ac yn hel ei gêr at ei gilydd. Roedd ganddo raff yn hongian i lawr o'r top at y silff lle'r oedd o'n sefyll, ac er mwyn dringo'n ôl i ben y clogwyn roedd o'n defnyddio offer o'r enw Jumar – teclyn pwrpasol ar gyfer dringo rhaffau. Roedd John wedi dechrau dringo'r rhaff pan ddisgynnodd yn ôl ar y silff. Dringwyr o'r Almaen oedd yn digwydd bod gerllaw a rybuddiodd Peter fod John wedi disgyn, achos doedd hwnnw ddim yn gallu'i weld o.

Cafodd y tîm achub ei alw, ac roedd hi'n anodd iawn ar y rhai a aeth allan y diwrnod hwnnw. Roedd John wedi ymddeol fel aelod o'r tîm, ond roedd o wedi bod yno o'r cychwyn, wedi cyflawni sawl rôl, yn cynnwys cadeirydd a llywydd, ac roedd o newydd gael ei wneud yn aelod anrhydeddus am oes. Ro'n innau wedi ymddeol erbyn hynny hefyd, felly doeddwn i ddim yn rhan o'r achubiad.

Yn ôl yr adroddiadau daeth y rhybudd o gwmpas 12.30 y pnawn ac roedd yr hofrenydd yno ymhen ychydig dros hanner awr, felly dwi'n meddwl ei bod hi o gwmpas yr ardal ar y pryd. Mi gyrhaeddodd aelodau'r tîm achub yn sydyn hefyd, ond gwaetha'r modd bu farw John cyn cyrraedd yr ysbyty. Yn y cwest, datgelwyd bod ganddo broblem efo'i galon, a dyna oedd wedi effeithio arno y diwrnod hwnnw. Roedd ei galon wedi stopio wrth iddo ddringo'r rhaff yn ôl i ben y clogwyn, ac roedd o wedi disgyn tua 25 i 30 troedfedd yn ôl ar y silff. Ond mae'n rhaid pwysleisio ei bod hi'n un o ddyddiau poetha'r flwyddyn pan ddigwyddodd hyn; roedd John yn cario sach trwm yn llawn o raffau ar ei gefn, ac mae defnyddio Jumar yn waith ofnadwy o galed ar y gorau.

Roedd o'n ddiwrnod trist iawn i'w deulu a'i ffrindiau, ac i fynydda yn gyffredinol, achos bod John yn ysbrydoliaeth i gymaint o bobol yn y maes ac roedd 'na barch enfawr tuag ato fo. Yr unig beth oedd ar feddwl pawb oedd ei fod wedi mynd yn gwneud yr hyn yr oedd o'n ei garu, ac yn y lle yr oedd o'n ei garu yn fwy nag unman, sef yng nghanol mynyddoedd Eryri.

Mi gafodd ei bartner, Tracey, ei tharo'n galed iawn gan ei farwolaeth. Roedd y ddau mor agos, ac wedi gwneud lot fawr o fynydda efo'i gilydd. Dwi wedi cadw mewn cysylltiad efo Tracey a Debbie, ei chwaer, ac mi fyddan ni'n mynd am dro yn y mynyddoedd bob hyn a hyn, a bob amser yn cael cyfle i hel atgofion am John. Mae  Tracey wedi mynnu fy mod yn gadael iddi wybod lle dwi'n mynd a faint o'r gloch ac yn y blaen, bob tro y bydda i'n mynd allan i gerdded ar fy mhen fy hun. Mae'n un o gynghorion sylfaenol mynydda: mae o'n bwysig, ac mi ddylai pawb ei wneud o, ond mae hyd y oed y mwyaf profiadol ohonan ni'n euog o anghofio weithiau. Diolch Tracey.

Roedd John yn ddylanwad aruthrol arna i, a degau o rai eraill tebyg i mi, heb sôn am y cannoedd sy'n

John Êl yn gosod arwydd ar Clogwyn Coch.

ddyledus iddo am eu hachub. Roedd o'n driw iawn i'w staff, ond roedd o'n medru tynnu pobol i'w ben ar adegau, yn enwedig penaethiaid y Parc, am ei fod o'n barod i ddweud ei farn yn blwmp ac yn blaen, a'i dweud hi fel y mae hi. Cafodd chwe gwobr am ddewrder yn ystod ei yrfa, ac yn 1976 derbyniodd yr MBE am ei wasanaeth. Nid yw'n ormod i ddweud mai John *oedd* y Parc i lawer iawn o bobol. Ond er gwaetha'r hyn yr oedd o wedi'i wneud ers cael ei benodi, cafodd ei ddiswyddo ganddyn nhw yn 1998. Roeddan nhw wedi penderfynu 'ail-strwythuro' rhai swyddi, ac roedd swydd John fel Prif Warden yn cael ei newid i 'Warden a Rheolwr Mynediad'. Yn rhyfeddol, doedd y pwyllgor ddim yn credu fod John yn addas ar gyfer y swydd newydd hon – roedd hi 'tu hwnt i'w alluoedd', meddan nhw! Beth bynnag, i dorri stori hir yn fyr, aeth John â nhw i dribiwnlys

ac enillodd ei achos dros ddiswyddiad annheg. Ond, wrth gwrs, doedd 'na ddim ffordd yn ôl wedi hynny, a gadawodd y Parc yr oedd wedi ei wasanaethu mor wych am dros 32 o flynyddoedd. Eu colled nhw oedd honno, ond yn y bôn roedd hi'n golled hefyd i'w gyd-weithwyr ac i bawb oedd yn caru Eryri.

John Êl yn cyflwyno tystysgrif i mi am fy ngwasanaeth.

Pennod 25

Dilyn fy mhregeth fy hun

Ar un adeg roedd gan y tîm achub reol fod pawb yn gorfod ymddeol o fod yn aelodau pan oeddan nhw'n 60. Ro'n i'n un o'r rhai a gyflwynodd y rheol honno, ond ifanc oeddwn i bryd hynny ... a gwirion, ella! Ro'n i yn fy 30au cynnar, ac yn meddwl bod 60 yn hen – yn sicr yn rhy hen i fod yn mynd i fyny ac i lawr mynyddoedd ym mhob tywydd. Wrth gwrs, pan gyrhaeddais i 60, ro'n i'n gallu gweld mai penderfyniad annoeth iawn oedd o. Ond rheol 'di rheol, a fi oedd y cadeirydd ar y pryd, felly mynd oedd raid. Mi o'n i reit ddigalon, mae'n rhaid dweud, ond dwi'n gredwr mawr mewn dilyn fy mhregeth fy hun (ia, ocê, ar wahân i'r cyngor am fap a thortsh, ond ddeudis i 'mod i wedi dysgu'r wers honno, yn do?). Mi gollon ni bobol dda – mynyddwyr profiadol – oherwydd y rheol honno. Dwi'n cofio cyfarfodydd ffarwél yn Nant Peris, a gweld rhai o'r rhain yn codi ac yn cerdded allan pan oedd eu hamser nhw ar ben. Ar y pryd wnes i ddim meddwl llawer am y peth, ond wedyn mi ddechreuais sylweddoli ein bod wedi gwneud camgymeriad mawr. Maen nhw wedi gwneud i ffwrdd â'r rheol erbyn hyn.

Dwi'n dal mewn cysylltiad efo'r tîm i raddau. Dwi'n gweld Sam o leia unwaith yr wythnos. A chwarae teg iddyn nhw, mi ges i fy ngwneud yn aelod anrhydeddus o'r tîm, ynghyd â John Êl, Hugh Walton a Jesse James. Drwy hynny dwi'n cael gwahoddiad i rai digwyddiadau, fel y cinio Dolig, a'r cinio fu i ddathlu hanner canmlwyddiant y tîm yn 2018. Mi oedd hi'n neis iawn gweld rhai o'r hen wynebau yno. Os fydda i'n pasio

Rhan o'r cerdyn ges i ar fy ymddeoliad.

194

canolfan y tîm yn Nant Peris ac yn gweld y drws yn agored, mi alwa i heibio am baned. Ond mae'r hen wynebau'n mynd yn brinnach ac yn brinnach, wrth gwrs, a rhai dwi ddim yn eu hadnabod yn dod yn eu lle nhw. Mi fydda i'n dal i gadw golwg ar be mae'r tîm yn ei wneud ar y we ac yn y papur newydd.

"PLEASE RELEASE ME LET ME GO"

MWYNHA DY RETAIYMENT CO..

Blaen y cerdyn ymddeoliad.

Roedd o i lawr yn fy nghytundeb i efo'r Parc fy mod i helpu'r gwasanaethau brys mewn unrhyw ffordd pan oedd angen, ond tua diwedd fy nghyfnod efo nhw, mi ddechreuon nhw newid y swydd. Doedd y Parc ddim yn hapus bod y wardeniaid yn treulio cymaint o amser allan ar y mynydd ac yn cymryd rhan mewn achubiadau. Doeddan nhw ddim isio i ni wneud dim byd efo'r ochr achub a diogelwch mynydd. Ond ro'n i'n cynrychioli'r Parc ar gymdeithas Achub Mynydd Gogledd Cymru, ac yn cynrychioli gogledd Cymru ar Achub Mynydd Lloegr a Chymru (y Mountain Rescue Council ers talwm), felly ro'n i'n barod am ffeit! I mi, fel dwi wedi dweud o'r blaen, mae rhwystro damwain yn well na gorfod achub rhywun, a dyna oeddan ni'n drio'i wneud ym Mhen-y-pàs ac ar y prif lwybrau. Os fedrwch chi rwystro rhywun rhag disgyn ar yr Wyddfa drwy siarad efo nhw, roedd hynny'n well na gorfod mynd allan yn y tywyllwch neu mewn tywydd drwg i'w hachub nhw, neu'n waeth byth, i chwilio am eu cyrff nhw. Mi ddywedodd y Parc nad oeddan nhw isio i ni fod yn rhoi cyngor ac ati i bobol ynglŷn â'r tywydd neu pa un oedd y llwybr gorau i'w teulu nhw ac yn y blaen – roeddan nhw isio i ofalwr y maes parcio wneud hynny. Fedrwn i ddim credu be o'n i'n ei glywed. Mi es i at Eifion, un o ofalwyr y maes parcio, a gofyn iddo fo faint o weithiau oedd o wedi bod ar ben yr Wyddfa.

'Erioed,' medda fo, a dyna oedd ymateb y swyddogion eraill hefyd.

Mi es i weld Emyr Williams, un o swyddogion y Parc, sy'n Brif Weithredwr erbyn hyn, a dweud wrtho fod disgwyl i ofalwyr y maes parcio roi cyngor mynydda i bobol yn gam peryglus ar y diawl.

'Be fasat ti'n wneud petai rhywun yn cael ei ladd ar Grib Goch a'i ffrindiau'n cadarnhau eu bod nhw wedi cael cyngor gan swyddog y maes parcio i fynd i fyny yno mewn tywydd drwg?' medda fi wrtho. 'Mi fasat ti'n gorfod rhoi tystiolaeth o flaen Llys Crwner, a'r peth cyntaf fasa hwnnw'n ofyn fasa faint o brofiad oedd gan fois y maes parcio i roi cyngor fel hyn. A'r ateb fasa "dim". A phetai swyddogion y maes parcio'n dweud mai eu bòs oedd wedi gorchymyn iddyn nhw gynghori'r cyhoedd fel rhan o'u dyletswyddau bob dydd, mi fasat ti'n cael dy wneud am ddynladdiad corfforaethol.'

Chlywais i ddim sôn am y peth wedyn, tra o'n i'n gweithio i'r Parc. Ar ôl i mi adael cafodd swyddi'r wardeniaid eu newid, ond dwi ddim yn meddwl eu bod nhw wedi parhau â'r syniad o ofyn i rywun dibrofiad oedd erioed wedi bod ar ben yr Wyddfa roi cyngor diogelwch mynydda i'r cyhoedd. A diolch am hynny.

Mi wnaeth y Parc dro gwael efo finna ar y diwedd hefyd, mewn ffordd. Mi ofynnon nhw faswn i'n fodlon aros ymlaen ar ôl ymddeol, ac mi gytunais. Roedd gen i lwyth o ddyddiau o wyliau ar ôl, felly dyma nhw'n dweud wrtha i am gymryd y rheiny, ac erbyn hynny fe fyddai'r wardeniaid tymhorol, oedd yn cael eu cyflogi dros yr haf a'r hydref, wedi gorffen, ac mi faswn innau'n dechrau'n ôl ar gyfer y gaeaf. Wedyn dyma nhw'n gofyn i mi sgwennu llythyr i gadarnhau fy mod yn ymddeol, a dyna be wnes i. Ro'n i'n cael fy mhen blwydd ar 24 Tachwedd, ac wythnos cyn i mi ddechrau'n ôl mi ges i lythyr gan y Parc yn amlinellu'r telerau a ballu. Mi ges i dipyn o sioc o weld eu bod nhw wedi gostwng fy nghyflog i gyflog warden tymhorol.

'Twll eich tinau chi,' medda fi wrtha i fy hun. Ond ro'n i wedi addo mynd yn ôl, a dwi ddim yn un i fynd yn ôl ar fy ngair, felly mi ofynnais am gyfarfod efo nhw, a rhoi wythnos iddyn nhw ailfeddwl.

'Os nad ydach chi'n newid y telerau ymhen wythnos, dwi'n mynd,' medda fi.

Pan ddaeth yr wythnos i ben, mi ddaethon nhw'n ôl ata i a dweud 'Na', felly dyma fi'n rhoi goriadau'r fan i Gruff, un o fy nghyd-weithwyr, a dweud wrtho am fynd â fi adra. Dwi ddim yn berson sy'n dal dig, felly does gen i ddim byd yn erbyn y Parc. Mae'r rhan fwyaf o fy hen gyd-weithwyr wedi mynd erbyn hyn p'run bynnag.

Roedd John Êl a finnau, a llawer o rai eraill, yn byw i'r swydd, ond i'r penaethiaid, doeddan ni'n ddim byd ond rhif, mae'n debyg. Do, mi ges i lythyr o ddiolch ganddyn nhw am fy ngwaith, ond dim ond ar ôl i un o gynghorwyr

Fi y tu allan i stadiwm Anfield efo fy arwr, Bill Shankly.

Awdurdod y Parc godi'r mater. Dwy linell oedd o, ond pan ddywedais i wrth John, mi wnaeth ei ateb fy synnu fi'n fwy byth.

'Mi gest ti fwy na fi – ches i ddim byd.'

Mi fydda i'n dal i fynd am dro i rai o'r llefydd oedd ar fy mhatsh ers talwm, yn enwedig Moel Eilio, sydd ar garreg y drws bron, ac i ben Mynydd Mawr, sydd hefyd ddigon agos at y tŷ 'cw. Dwi'n amcangyfrif 'mod i wedi mynd i ben yr Wyddfa dros 2,500 o weithiau, o leia, yn ystod fy amser efo'r Parc a'r tîm achub, heb sôn am yn fy amser hamdden, felly pan fydda i'n mynd am dro y dyddiau yma, dwi'n dueddol o fynd i lefydd sydd ddim mor gyfarwydd â hynny i mi, fel y Rhinogydd neu'r Carneddau.

Mi es i at y doctor am MOT yn ddiweddar, ac mi ofynnodd i mi os o'n i'n dal i gerdded mynyddoedd.

'Yndw,' medda fi, 'ond mae'r diawlad yn mynd yn uwch ac yn fwy serth bob tro.'

Ond tra mae'r gallu gen i, mi fydda i'n dal i fynd am fy ffics rheolaidd yn y mynyddoedd. Fedra i ddim dychmygu peidio, rywsut.

Peint yn y Black Boy yn haf 2007.

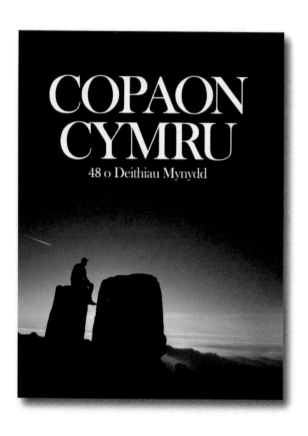

COPAON CYMRU

48 o Deithiau Mynydd

Cyflwynir 48 o deithiau drwy ucheldiroedd Cymru gan
aelodau o Glwb Mynydda Cymru yn y gyfrol hardd
hon, sy'n cynnwys mapiau a gwybodaeth ddiddorol,
yn ogystal â lluniau nodedig.

Clawr caled: Pris £15

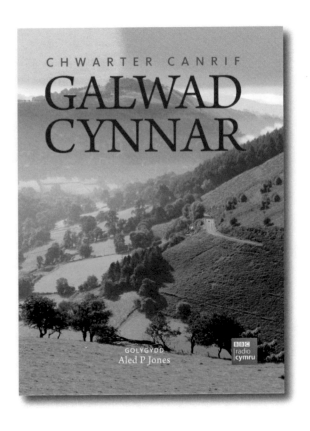

CHWARTER CANRIF
GALWAD CYNNAR

GOLYGYDD
Aled P Jones

BBC radio cymru

Detholiad o gynnwys rhaglenni *Galwad Cynnar*
dros y pum mlynedd ar hugain diwethaf, atgofion a
lluniau, wrth i'r cyfranwyr drafod pob agwedd o'r byd
naturiol o'u cwmpas.

Clawr caled: Pris £15